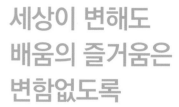

세상이 변해도
배움의 즐거움은
변함없도록

시대는 빠르게 변해도
배움의 즐거움은
변함없어야 하기에

어제의 비상은
남다른 교재부터
결이 다른 콘텐츠
전에 없던 교육 플랫폼까지

변함없는 혁신으로
교육 문화 환경의 새로운 전형을
실현해왔습니다.

비상은 오늘, 다시 한번
새로운 교육 문화 환경을 실현하기 위한
또 하나의 혁신을 시작합니다.

오늘의 내가 어제의 나를 초월하고
오늘의 교육이 어제의 교육을 초월하여
배움의 즐거움을 지속하는 혁신,

바로, 메타인지 기반 완전 학습을.

상상을 실현하는 교육 문화 기업 비상

메타인지 기반 완전 학습

초월을 뜻하는 meta와 생각을 뜻하는 인지가 결합한 메타인지는
자신이 알고 모르는 것을 스스로 구분하고 학습계획을 세우도록 하는
궁극의 학습 능력입니다. 비상의 메타인지 기반 완전 학습 시스템은
잠들어 있는 메타인지를 깨워 공부를 100% 내 것으로 만들도록 합니다.

개념+연산 파워

초등수학

5·2

구성과 특징

① 전 단원 구성으로 교과 진도에 맞춘 학습!

② 키워드로 핵심 개념을 시각화하여 개념 기억력 강화!

③ '기초 드릴 빨강 연산 ▶ 스킬 업 노랑 연산 ▶ 문장제 플러스 초록 연산'으로 응용 연산력 완성!

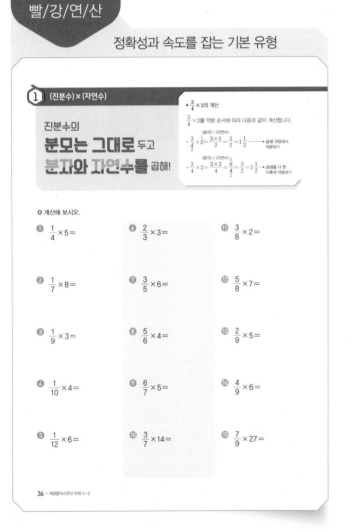

기초 D·R·I·L·L
빨/강/연/산

정확성과 속도를 잡는 기본 유형

① (진분수) × (자연수)

진분수의 **분모는 그대로** 두고 **분자와 자연수를** 곱해!

• $\frac{3}{4} \times 2$ 의 계산

$\frac{3}{4} \times 2$ 를 약분 순서에 따라 다음과 같이 계산합니다.

$\cdot \frac{3}{4} \times 2 = \frac{3 \times 1}{2} = \frac{3}{2} = 1\frac{1}{2}$ → 곱셈 과정에서 약분하기

$\cdot \frac{3}{4} \times 2 = \frac{3 \times 2}{4} = \frac{6}{4} = 1\frac{1}{2}$ → 곱셈을 다 한 이후에 약분하기

○ 계산해 보시오.

① $\frac{1}{4} \times 5 =$

② $\frac{1}{7} \times 8 =$

③ $\frac{1}{9} \times 3 =$

④ $\frac{1}{10} \times 4 =$

⑤ $\frac{1}{12} \times 6 =$

⑥ $\frac{2}{3} \times 3 =$

⑦ $\frac{3}{5} \times 6 =$

⑧ $\frac{5}{6} \times 4 =$

⑨ $\frac{6}{7} \times 5 =$

⑩ $\frac{3}{7} \times 14 =$

⑪ $\frac{3}{8} \times 2 =$

⑫ $\frac{5}{8} \times 7 =$

⑬ $\frac{2}{9} \times 5 =$

⑭ $\frac{4}{9} \times 6 =$

⑮ $\frac{7}{9} \times 27 =$

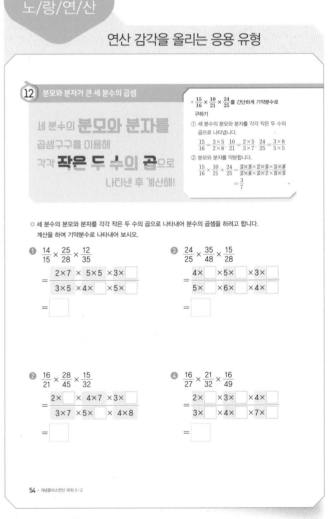

스킬 U·P
노/랑/연/산

연산 감각을 올리는 응용 유형

⑫ 분모와 분자가 큰 세 분수의 곱셈

세 분수의 **분모와 분자를** 곱셈구구를 이용해 각각 **작은 두 수의 곱**으로 나타낸 후 계산해!

• $\frac{15}{16} \times \frac{10}{21} \times \frac{24}{25}$ 를 간단하게 기약분수로 구하기

① 세 분수의 분모와 분자를 각각 작은 두 수의 곱으로 나타냅니다.

$\frac{15}{16} = \frac{3 \times 5}{2 \times 8}, \frac{10}{21} = \frac{2 \times 5}{3 \times 7}, \frac{24}{25} = \frac{3 \times 8}{5 \times 5}$

② 분모와 분자를 약분합니다.

$\frac{15}{16} \times \frac{10}{21} \times \frac{24}{25} = \frac{3 \times 5 \times 2 \times 5 \times 3 \times 8}{2 \times 8 \times 3 \times 7 \times 5 \times 5}$

$= \frac{3}{7}$

○ 세 분수의 분모와 분자를 각각 작은 두 수의 곱으로 나타내어 분수의 곱셈을 하려고 합니다. 계산을 하여 기약분수로 나타내어 보시오.

① $\frac{14}{15} \times \frac{25}{28} \times \frac{12}{35}$

$= \frac{2 \times 7 \ \times \ 5 \times 5 \ \times 3 \times \boxed{}}{3 \times 5 \ \times 4 \times \boxed{} \ \times 5 \times \boxed{}}$

$= \boxed{}$

② $\frac{16}{21} \times \frac{28}{45} \times \frac{15}{32}$

$= \frac{2 \times \boxed{} \ 4 \times 7 \ \times 3 \times \boxed{}}{3 \times 7 \ \times 5 \times \boxed{} \ \times \ 4 \times 8}$

$= \boxed{}$

③ $\frac{24}{25} \times \frac{35}{48} \times \frac{15}{28}$

$= \frac{4 \times \boxed{} \ \times 5 \times \boxed{} \ \times 3 \times \boxed{}}{5 \times \boxed{} \ \times 6 \times \boxed{} \ \times 4 \times \boxed{}}$

$= \boxed{}$

④ $\frac{16}{27} \times \frac{21}{32} \times \frac{16}{49}$

$= \frac{2 \times \boxed{} \ \times 3 \times \boxed{} \ \times 4 \times \boxed{}}{3 \times \boxed{} \ \times 4 \times \boxed{} \ \times 7 \times \boxed{}}$

$= \boxed{}$

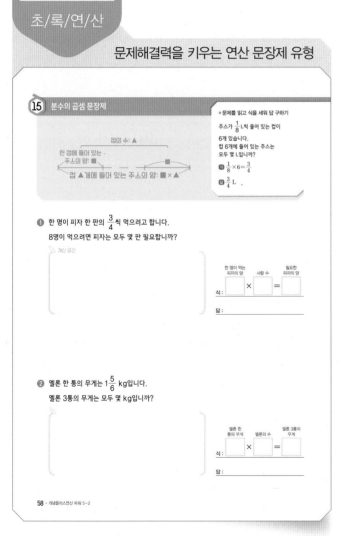

문장제 P·L·U·S

초/록/연/산

문제해결력을 키우는 연산 문장제 유형

15 분수의 곱셈 문장제

컵의 수: ▲

한 컵에 들어 있는
주스의 양: ■

컵 ▲개에 들어 있는 주스의 양: ■ × ▲

◦문제를 읽고 식을 세워 답 구하기

주스가 $\frac{1}{8}$ L씩 들어 있는 컵이
6개 있습니다.
컵 6개에 들어 있는 주스는
모두 몇 L입니까?

식 $\frac{1}{8} \times 6 = \frac{3}{4}$

답 $\frac{3}{4}$ L

❶ 한 명이 피자 한 판의 $\frac{3}{4}$씩 먹으려고 합니다.

8명이 먹으려면 피자는 모두 몇 판 필요합니까?

계산 공간

한 명이 먹는
피자의 양   사람 수   필요한
                        피자의 양

식 :   ☐ × ☐ = ☐

답 :

❷ 멜론 한 통의 무게는 $1\frac{5}{6}$ kg입니다.

멜론 3통의 무게는 모두 몇 kg입니까?

멜론 한
통의 무게   멜론의 수   멜론 3통의
                        무게

식 :   ☐ × ☐ = ☐

답 :

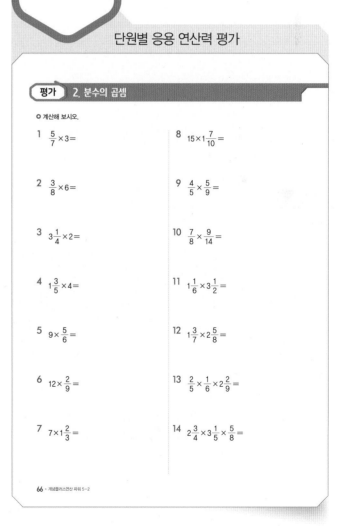

평가

단원별 응용 연산력 평가

평가 2. 분수의 곱셈

◦ 계산해 보시오.

1 $\frac{5}{7} \times 3 =$

2 $\frac{3}{8} \times 6 =$

3 $3\frac{1}{4} \times 2 =$

4 $1\frac{3}{5} \times 4 =$

5 $9 \times \frac{5}{6} =$

6 $12 \times \frac{2}{9} =$

7 $7 \times 1\frac{2}{3} =$

8 $15 \times 1\frac{7}{10} =$

9 $\frac{4}{5} \times \frac{5}{9} =$

10 $\frac{7}{8} \times \frac{9}{14} =$

11 $1\frac{1}{6} \times 3\frac{1}{2} =$

12 $1\frac{3}{7} \times 2\frac{5}{8} =$

13 $\frac{2}{5} \times \frac{1}{6} \times 2\frac{2}{9} =$

14 $2\frac{3}{4} \times 3\frac{1}{5} \times \frac{5}{8} =$

✽ 초/록/연/산은 수와 연산 단원에만 있음.

차례

1

수의 범위와 어림하기

◆ 맞힌 개수와 걸린 시간을 작성해 보세요.

학습 내용	일 차	맞힌 개수	걸린 시간
⑨ 버림하여 ㉠이 되는 수의 범위를 '이상과 미만'으로 나타내기	8일 차	/12개	/9분
⑩ 반올림하여 ㉠이 되는 수의 범위를 '이상과 미만'으로 나타내기			
⑪ 약 얼마인지 구하기	9일 차	/5개	/5분
⑫ 최소 얼마나 필요한지 구하기	10일 차	/5개	/7분
⑬ 최대 얼마인지 구하기	11일 차	/5개	/7분
⑭ 수의 범위 문장제	12일 차	/5개	/8분
평가 1. 수의 범위와 어림하기	13일 차	/20개	/19분

1 이상, 이하

■ **이상**인 수는
■**와 같거나 커!**

▲ **이하**인 수는
▲**와 같거나 작아!**

● 이상, 이하
· 11 **이상**인 수: 11, 12.5, 13 등과 같이
11과 같거나 큰 수
· 15 **이하**인 수: 15, 14.5, 12 등과 같이
15와 같거나 작은 수
· 11 이상 15 이하인 수: 11, 12.5, 15 등과 같이
11과 같거나 크고
15와 같거나 작은 수

참고 ■ 이상인 수와 ■ 이하인 수에는 모두
■가 포함됩니다.

○ 수의 범위에 포함되는 수에 모두 ○표 하시오.

1 14 이상인 수

| 16 | 13 | 9 | 17 |

5 27 이하인 수

| 23 | 29 | 26 | 33 |

2 35 이상인 수

| 32 | 40 | 28 | 35 |

6 41 이하인 수

| 45 | 34 | 50 | 41 |

3 52 이상인 수

| 45 | 52.5 | 55 | 50.9 |

7 69 이하인 수

| 68.2 | 73 | 76 | 65.1 |

4 70 이상인 수

| 69.5 | 70 | 71.1 | 67 |

8 83 이하인 수

| 86.4 | 83 | 82.5 | 86 |

⑨ 8 이상 14 이하인 수

7	10.8	17.1
8	20	14

⑭ 57 이상 65 이하인 수

56.4	60	58
53	55	64.9

⑩ 15 이상 22 이하인 수

21	12	19.3
24	15	14.5

⑮ 63 이상 68 이하인 수

65.5	62	63
68	69.1	74

⑪ 20 이상 29 이하인 수

18	20.7	36
29	27	31.2

⑯ 71 이상 77 이하인 수

80	76.9	79
72	70.8	77

⑫ 34 이상 43 이하인 수

33.5	43	39.6
47	34	28

⑰ 82 이상 90 이하인 수

82	88	90.3
78	83.5	93

⑬ 46 이상 51 이하인 수

50.5	54.4	57
42	46	49

⑱ 89 이상 96 이하인 수

94.1	84	90
89.2	98	85

② 초과, 미만

● **초과**인 수는
●보다 커!

★ **미만**인 수는
★보다 작아!

- **초과, 미만**
- 11 **초과**인 수: 11.4, 12, 13.8 등과 같이
  11보다 큰 수
- 15 **미만**인 수: 14.7, 13.5, 11 등과 같이
  15보다 작은 수
- 11 초과 15 미만인 수: 11.4, 12, 14.7 등과 같이
  11보다 크고
  15보다 작은 수

참고 ■ 초과인 수와 ■ 미만인 수에는 모두
■가 포함되지 않습니다.

○ 수의 범위에 포함되는 수에 모두 ○표 하시오.

① 7 초과인 수

| 9 | 6 | 7 | 11 |

② 28 초과인 수

| 33 | 27 | 30 | 28 |

③ 46 초과인 수

| 46 | 48 | 46.7 | 45.8 |

④ 61 초과인 수

| 60.5 | 62 | 56 | 61.1 |

⑤ 19 미만인 수

| 13 | 19 | 14 | 20 |

⑥ 34 미만인 수

| 32 | 29 | 41 | 34 |

⑦ 55 미만인 수

| 55 | 54 | 58.2 | 51.3 |

⑧ 83 미만인 수

| 78 | 85.4 | 83 | 82.9 |

⑨ 4 초과 10 미만인 수

5	14.5	8
6.9	10	3

⑭ 56 초과 64 미만인 수

54	58	65.8
57	56	63.9

⑩ 13 초과 21 미만인 수

21	20.6	12.1
13	18	16

⑮ 67 초과 73 미만인 수

67	64.2	68
70	69.1	73

⑪ 22 초과 28 미만인 수

17	26	28
22.2	31.4	25

⑯ 79 초과 85 미만인 수

80	85	79
72	83.4	79.7

⑫ 30 초과 36 미만인 수

40	35.3	34
30	32.7	36

⑰ 81 초과 89 미만인 수

84	89	93.5
81.6	86	81

⑬ 45 초과 52 미만인 수

59	51.5	50
47	52	44.9

⑱ 88 초과 97 미만인 수

95	82	88.4
98	91.9	87

3 이상과 미만, 초과와 이하

┌─ ■ 이상 ★ 미만인 수 ─┐
**■와 같거나
크고
★보다 작은 수**

┌─ ● 초과 ▲ 이하인 수 ─┐
**●보다 크고
▲와 같거나
작은 수**

● 이상과 미만
5 이상 10 미만인 수: 5, 7.4, 9 등과 같이
5와 같거나 크고
10보다 작은 수

● 초과와 이하
5 초과 10 이하인 수: 5.9, 8, 10 등과 같이
5보다 크고
10과 같거나 작은 수

○ 수의 범위에 포함되는 수에 모두 ◯표 하시오.

① 4 이상 11 미만인 수

| 2 | 13 | 10 | 4 |

② 26 이상 33 미만인 수

| 33 | 30 | 25 | 28 |

③ 45 이상 52 미만인 수

| 48 | 52 | 43 | 50 |

④ 60 이상 65 미만인 수

| 60 | 64 | 71 | 65 |

⑤ 12 초과 19 이하인 수

| 12 | 21 | 19 | 18 |

⑥ 31 초과 38 이하인 수

| 32 | 31 | 37 | 39 |

⑦ 58 초과 64 이하인 수

| 59 | 66 | 62 | 57 |

⑧ 73 초과 77 이하인 수

| 78 | 73 | 77 | 76 |

⑨ 19 이상 26 미만인 수

20.3	26	21
19	27.4	32

⑭ 21 초과 28 이하인 수

23	31	18
21.4	28	29.7

⑩ 38 이상 45 미만인 수

37	45	38
44.8	39.5	49

⑮ 44 초과 51 이하인 수

49.8	51	52
43	44	50.9

⑪ 52 이상 59 미만인 수

52	58.1	59
51.5	54	64

⑯ 65 초과 70 이하인 수

65.5	74	70
71.1	60	68

⑫ 80 이상 87 미만인 수

79	80	87.3
90	86.8	85

⑰ 76 초과 84 이하인 수

87	82.4	85
81	75.9	79

⑬ 83 이상 92 미만인 수

92	81	90.2
80.4	88	83

⑱ 87 초과 93 이하인 수

90.5	80	95
93	87.8	96

• 올림

올림: 구하려는 자리의 아래 수를 올려서 나타내는 방법

올림하여 ■의 자리까지 나타내기

↓

■의 자리의
아래 수를 모두 올려!

예 • 452를 올림하여
십의 자리까지 나타내기

452 → 460
└ 2를 10으로
봅니다.

• 452를 올림하여
백의 자리까지 나타내기

452 → 500
└ 52를 100으로
봅니다.

참고 올림하여 구하려는 자리의 아래 수가 모두 0이면
그대로입니다.
⇨ 1200을 올림하여 백의 자리까지 나타내기: 1200

○ 올림하여 주어진 자리까지 나타내어 보시오.

1 105(십의 자리까지)

⇨ (   )

2 274(백의 자리까지)

⇨ (   )

3 730(십의 자리까지)

⇨ (   )

4 829(백의 자리까지)

⇨ (   )

5 1234(십의 자리까지)

⇨ (   )

6 3090(백의 자리까지)

⇨ (   )

7 5047(천의 자리까지)

⇨ (   )

8 8601(십의 자리까지)

⇨ (   )

⑨ 13280(백의 자리까지)

⇨ (   )

⑩ 25619(천의 자리까지)

⇨ (   )

⑪ 40793(십의 자리까지)

⇨ (   )

⑫ 62008(만의 자리까지)

⇨ (   )

⑬ 80000(백의 자리까지)

⇨ (   )

⑭ 93975(천의 자리까지)

⇨ (   )

⑮ 0.64(소수 첫째 자리까지)

⇨ (   )

⑯ 1.387(일의 자리까지)

⇨ (   )

⑰ 3.079(소수 둘째 자리까지)

⇨ (   )

⑱ 5.461(소수 첫째 자리까지)

⇨ (   )

⑲ 6.87(일의 자리까지)

⇨ (   )

⑳ 8.702(소수 둘째 자리까지)

⇨ (   )

● 버림

버림: 구하려는 자리의 아래 수를 버려서 나타내는 방법

예 · 2936을 버림하여
백의 자리까지 나타내기

$$2936 \rightarrow 2900$$
└ 36을 0으로
봅니다.

· 2936을 버림하여
천의 자리까지 나타내기

$$2936 \rightarrow 2000$$
└ 936을 0으로
봅니다.

참고 버림하여 구하려는 자리의 아래 수가 모두 0이면
그대로입니다.
⇨ 500을 버림하여 십의 자리까지 나타내기: 500

버림하여 ■의 자리까지 나타내기

⬇

**■의 자리의
아래 수를 모두 버려!**

○ 버림하여 주어진 자리까지 나타내어 보시오.

① 142(백의 자리까지)

⇨ (   )

② 309(십의 자리까지)

⇨ (   )

③ 570(백의 자리까지)

⇨ (   )

④ 641(십의 자리까지)

⇨ (   )

⑤ 3000(천의 자리까지)

⇨ (   )

⑥ 4584(백의 자리까지)

⇨ (   )

⑦ 7605(십의 자리까지)

⇨ (   )

⑧ 9018(백의 자리까지)

⇨ (   )

9 16273(십의 자리까지)

⇨ (   )

10 29145(백의 자리까지)

⇨ (   )

11 40067(만의 자리까지)

⇨ (   )

12 52104(천의 자리까지)

⇨ (   )

13 68300(백의 자리까지)

⇨ (   )

14 70541(만의 자리까지)

⇨ (   )

15 0.349(소수 둘째 자리까지)

⇨ (   )

16 1.72(소수 첫째 자리까지)

⇨ (   )

17 2.037(일의 자리까지)

⇨ (   )

18 4.613(소수 둘째 자리까지)

⇨ (   )

19 7.85(일의 자리까지)

⇨ (   )

20 8.942(소수 첫째 자리까지)

⇨ (   )

6 반올림

반올림하여 ■의 자리까지 나타내기

⬇

■의 바로 아래 자리의 숫자가
0, 1, 2, 3, 4이면 버리고,
5, 6, 7, 8, 9이면 올려!

● 반올림

반올림: 구하려는 자리 바로 아래 자리의 숫자가
0, 1, 2, 3, 4이면 버리고,
5, 6, 7, 8, 9이면 올려서 나타내는 방법

예 ・1375를 반올림하여
십의 자리까지 나타내기

1375 → 1380
└ 5이므로
올림합니다.

・1375를 반올림하여
천의 자리까지 나타내기

1375 → 1000
└ 3이므로
버림합니다.

참고 올림과 버림은 구하려는 자리의 아래 수를 모두 살펴봐야
하지만 반올림은 구하려는 자리 바로 아래 한 자리의
숫자만 살펴보면 됩니다.

○ 반올림하여 주어진 자리까지 나타내어 보시오.

1 192(십의 자리까지)

⇨ (   )

2 283(백의 자리까지)

⇨ (   )

3 465(십의 자리까지)

⇨ (   )

4 749(백의 자리까지)

⇨ (   )

5 3400(백의 자리까지)

⇨ (   )

6 5287(십의 자리까지)

⇨ (   )

7 6319(천의 자리까지)

⇨ (   )

8 8594(백의 자리까지)

⇨ (   )

⑨ 25360(십의 자리까지)

⇨ (   )

⑩ 36841(만의 자리까지)

⇨ (   )

⑪ 47920(백의 자리까지)

⇨ (   )

⑫ 64137(천의 자리까지)

⇨ (   )

⑬ 70692(만의 자리까지)

⇨ (   )

⑭ 89514(천의 자리까지)

⇨ (   )

⑮ 0.18(소수 첫째 자리까지)

⇨ (   )

⑯ 2.053(소수 둘째 자리까지)

⇨ (   )

⑰ 3.923(일의 자리까지)

⇨ (   )

⑱ 5.816(소수 첫째 자리까지)

⇨ (   )

⑲ 8.472(일의 자리까지)

⇨ (   )

⑳ 9.597(소수 둘째 자리까지)

⇨ (   )

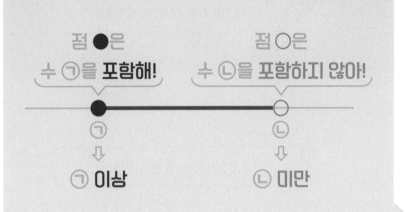

점 ●은
수 ㉠을 **포함해!**
㉠
↓
㉠ **이상**

점 ○은
수 ㉡을 **포함하지 않아!**
㉡
↓
㉡ **미만**

● 수직선에 나타낸 수의 범위에 포함되는
자연수 구하기

수직선에 나타낸 수의 범위:
5와 같거나 크고 8보다 작은 수
　이상　　　　미만
⇨ 5 이상 8 미만인 자연수: 5, 6, 7

참고 수직선에 '이상'과 '이하'는 점 ●을,
'초과'와 '미만'은 점 ○을 사용하여 나타냅니다.

○ 수직선에 나타낸 수의 범위에 포함되는 자연수를 모두 써 보시오.

1
11 12 13 14 15 16 17 18 19
(　　　　　　　　　)

5
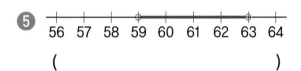
56 57 58 59 60 61 62 63 64
(　　　　　　　　　)

2
25 26 27 28 29 30 31 32 33
(　　　　　　　　　)

6
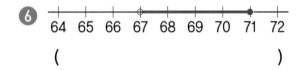
64 65 66 67 68 69 70 71 72
(　　　　　　　　　)

3
28 29 30 31 32 33 34 35 36
(　　　　　　　　　)

7
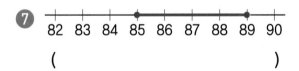
82 83 84 85 86 87 88 89 90
(　　　　　　　　　)

4
43 44 45 46 47 48 49 50 51
(　　　　　　　　　)

8
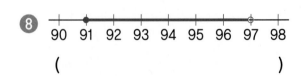
90 91 92 93 94 95 96 97 98
(　　　　　　　　　)

8 올림하여 ㉠이 되는 수의 범위를 '초과와 이하'로 나타내기

올림하여 ■의 자리까지
나타낸 수가 ㉠이 되는 수의 범위

↓

(㉠-■) 초과   ㉠ 이하

● 올림하여 십의 자리까지 나타내면 40이 되는
수의 범위 구하기

30을 올림하여 십의 자리까지: 40을 올림하여 십의 자리까지:
30 ⇨ 30은 포함되지 않습니다.   40 ⇨ 40은 포함됩니다.

30   40

올림하여 **십**의 자리까지 나타내면
40이 되는 수의 범위:

30보다 크고 40과 같거나 작은 수
　　초과　　　　　이하

⇨ 30 초과 40 이하
40-10

○ 설명하는 수의 범위를 초과와 이하를 이용하여 나타내어 보시오.

9 올림하여 십의 자리까지
나타내면 70이 되는 수

⇨ [　　] 초과 [　　] 이하

12 올림하여 백의 자리까지
나타내면 600이 되는 수

⇨ [　　] 초과 [　　] 이하

10 올림하여 백의 자리까지
나타내면 300이 되는 수

⇨ [　　] 초과 [　] 이하

13 올림하여 천의 자리까지
나타내면 2000이 되는 수

⇨ [　　] 초과 [　　] 이하

11 올림하여 십의 자리까지
나타내면 450이 되는 수

⇨ [　　] 초과 [　　] 이하

14 올림하여 백의 자리까지
나타내면 7900이 되는 수

⇨ [　　] 초과 [　　] 이하

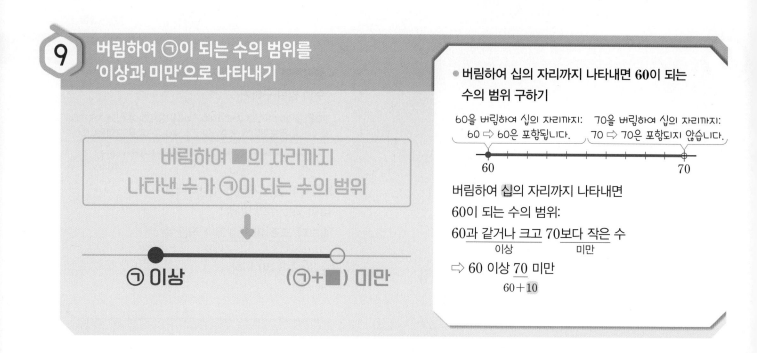

버림하여 ⑨이 되는 수의 범위를
'이상과 미만'으로 나타내기

9

버림하여 ■의 자리까지
나타낸 수가 ⑨이 되는 수의 범위

⑨ 이상　　　(⑨+■) 미만

● 버림하여 십의 자리까지 나타내면 60이 되는
수의 범위 구하기

60을 버림하여 십의 자리까지: 70을 버림하여 십의 자리까지:
60 ⇨ 60은 포함됩니다. 70 ⇨ 70은 포함되지 않습니다.

60　　　　　　70

버림하여 십의 자리까지 나타내면
60이 되는 수의 범위:
60과 같거나 크고 70보다 작은 수
　이상　　　　미만
⇨ 60 이상 70 미만
　　60+10

○ 설명하는 수의 범위를 이상과 미만을 이용하여 나타내어 보시오.

❶　버림하여 십의 자리까지
　나타내면 90이 되는 수

⇨ ☐ 이상 ☐ 미만

❷　버림하여 백의 자리까지
　나타내면 200이 되는 수

⇨ ☐ 이상 ☐ 미만

❸　버림하여 십의 자리까지
　나타내면 510이 되는 수

⇨ ☐ 이상 ☐ 미만

❹　버림하여 백의 자리까지
　나타내면 800이 되는 수

⇨ ☐ 이상 ☐ 미만

❺　버림하여 천의 자리까지
　나타내면 6000이 되는 수

⇨ ☐ 이상 ☐ 미만

❻　버림하여 백의 자리까지
　나타내면 8700이 되는 수

⇨ ☐ 이상 ☐ 미만

10 반올림하여 ㉠이 되는 수의 범위를 '이상과 미만'으로 나타내기

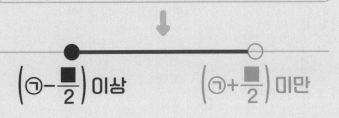

반올림하여 ■의 자리까지
나타낸 수가 ㉠이 되는 수의 범위

$\left(㉠-\dfrac{■}{2}\right)$ 이상 $\left(㉠+\dfrac{■}{2}\right)$ 미만

● 반올림하여 십의 자리까지 나타내면 80이 되는
수의 범위 구하기

75를 반올림하여 십의 자리까지:
80 ⇨ 75는 포함됩니다.

85를 반올림하여 십의 자리까지:
90 ⇨ 85는 포함되지 않습니다.

75   80   85

반올림하여 십의 자리까지 나타내면
80이 되는 수의 범위:

75와 같거나 크고 85보다 작은 수
    이상   미만

⇨ 75 이상 85 미만
$80-\dfrac{10}{2}$ $80+\dfrac{10}{2}$

○ 설명하는 수의 범위를 이상과 미만을 이용하여 나타내어 보시오.

7 반올림하여 십의 자리까지
나타내면 40이 되는 수

⇨ ☐ 이상 ☐ 미만

10 반올림하여 백의 자리까지
나타내면 900이 되는 수

⇨ ☐ 이상 ☐ 미만

8 반올림하여 백의 자리까지
나타내면 500이 되는 수

⇨ ☐ 이상 ☐ 미만

11 반올림하여 천의 자리까지
나타내면 3000이 되는 수

⇨ ☐ 이상 ☐ 미만

9 반올림하여 십의 자리까지
나타내면 700이 되는 수

⇨ ☐ 이상 ☐ 미만

12 반올림하여 백의 자리까지
나타내면 6300이 되는 수

⇨ ☐ 이상 ☐ 미만

11 약 얼마인지 구하기

약 몇십	→	반올림하여 **십**의 자리까지 나타내기
약 몇백	→	반올림하여 **백**의 자리까지 나타내기
약 몇천	→	반올림하여 **천**의 자리까지 나타내기
약 몇만	→	반올림하여 **만**의 자리까지 나타내기

● 문제를 읽고 해결하기

정우네 마을에서 모은 빈 깡통은 861개입니다. 빈 깡통을 약 몇백 개 모았다고 할 수 있습니까?

풀이 빈 깡통을 약 몇백 개 모았는지 구하려면 861을 반올림하여 백의 자리까지 나타냅니다.

861 → 900

└─● 6이므로 올립니다.

➡ 빈 깡통을 약 900개 모았다고 할 수 있습니다.

답 약 900개

---

① 수혁이네 학교 도서관에 있는 소설책은 792권입니다.
소설책은 약 몇십 권 있다고 할 수 있습니까?

✎ 풀이 공간

소설책이 약 몇십 권 있는지 구하려면

792를 반올림하여 [ ]의 자리까지 나타냅니다.

792 → [ ]

➡ 소설책은 약 [ ] 권 있다고 할 수 있습니다.

답 : _____

---

② 준호네 마을에 살고 있는 초등학생은 1549명입니다.
초등학생은 약 몇천 명 살고 있다고 할 수 있습니까?

초등학생이 약 몇천 명 살고 있는지 구하려면

1549를 반올림하여 [ ]의 자리까지 나타냅니다.

1549 → [ ]

➡ 초등학생은 약 [ ] 명 살고 있다고 할 수 있습니다.

답 : _____

③ 원효는 걷기 운동 프로그램에 참여하여 4637걸음 걸었습니다.
원효는 약 몇십 걸음 걸었다고 할 수 있습니까?

답 : _____

④ 어느 영화관의 지난달 영화 관람객은 9735명이었습니다.
관람객은 약 몇백 명이었다고 할 수 있습니까?

답 : _____

⑤ 재하네 반에서 이웃 돕기 성금으로 61940원을 모았습니다.
이웃 돕기 성금으로 약 몇만 원 모았다고 할 수 있습니까?

답 : _____

─── 문제 속 표현 예시 ───
• 물건을 남김없이 모두 담거나 실어야 하는 경우
• 일정한 묶음으로 물건을 부족하지 않게 사야 하는 경우
• 지폐로 물건값을 지불하는 경우

↓

올림을 이용해!

• 문제를 읽고 해결하기

귤 372상자를 트럭에 모두 실으려고 합니다. 트럭 한 대에 귤을 100상자씩 실을 수 있다면 트럭은 최소 몇 대 필요합니까?

풀이 트럭 한 대에 귤을 100상자씩 실을 수 있으므로 372를 올림하여 백의 자리까지 나타냅니다.
  372 → 400
  └ 72를 100으로 봅니다.
  ⇨ 트럭은 최소 4대 필요합니다.

답 4대

❶ 학생 116명이 모두 버스에 타려고 합니다.
버스 한 대에 10명씩 탈 수 있다면 버스는 최소 몇 대 필요합니까?

 풀이 공간

버스에 한 대에 10명씩 탈 수 있으므로

116을 올림하여 ☐ 의 자리까지 나타냅니다.

116 → ☐

⇨ 버스는 최소 ☐ 대 필요합니다.

답 : _____

❷ 학생 529명에게 색종이를 한 장씩 나누어 주려고 합니다.
한 묶음에 100장씩 들어 있는 색종이를 산다면 색종이를 최소 몇 묶음 사야 합니까?

색종이를 100장씩 묶음으로 살 수 있으므로

529를 올림하여 ☐ 의 자리까지 나타냅니다.

529 → ☐

⇨ 색종이를 최소 ☐ 묶음 사야 합니다.

답 : _____

③ 하영이는 7400원짜리 장갑을 샀습니다.
1000원짜리 지폐로만 장갑 값을 내려고 한다면
1000원짜리 지폐를 최소 몇 장 내야 합니까?

답 : _____

④ 한 번 운행할 때마다 10명씩 태울 수 있는 놀이기구가 있습니다.
2701명이 모두 놀이기구를 타려면 놀이기구를 최소 몇 번 운행해야 합니까?

답 : _____

⑤ 구슬 10080개를 상자에 모두 담으려고 합니다.
한 상자에 구슬을 1000개씩 담을 수 있다면 상자는 최소 몇 상자 필요합니까?

답 : _____

13 최대 얼마인지 구하기

문제 속 표현 예시

· 만들거나 포장할 수 있는 물건 수를 구하는 경우

· 일정한 묶음으로 물건을 담아 파는 경우

· 동전을 지폐로 바꾸는 경우

↓

버림을 이용해!

● 문제를 읽고 해결하기

종이컵이 8640개 있습니다.
한 상자에 1000개씩 넣어서 판다면
종이컵을 최대 몇 상자까지
팔 수 있습니까?

풀이 종이컵이 1000개보다 적으면
팔 수 없으므로 8640을 버림하여
천의 자리까지 나타냅니다.

8640 → 8000
└● 640을 0으로 봅니다.

⇨ 종이컵을 최대 8상자까지
팔 수 있습니다.

답 8상자

---

1 풍선 283개를 학생들에게 10개씩 나누어 주려고 합니다.
풍선을 최대 몇 명까지 나누어 줄 수 있습니까?

✎ 풀이 공간

풍선이 10개보다 적으면 나누어 줄 수 없으므로

283을 버림하여 ☐ 의 자리까지 나타냅니다.

283 → ☐

⇨ 풍선을 최대 ☐ 명까지 나누어 줄 수 있습니다.

답 : _____

---

2 선물 한 개를 포장하는 데 끈이 100 cm 필요합니다.
끈 726 cm로 선물을 최대 몇 개까지 포장할 수 있습니까?

끈이 100 cm보다 짧으면 선물을 포장할 수 없으므로

726을 버림하여 ☐ 의 자리까지 나타냅니다.

726 → ☐

⇨ 선물을 최대 ☐ 개까지 포장할 수 있습니다.

답 : _____

③ 정빈이는 저금통에 들어 있는 돈 97050원을
10000원짜리 지폐로 바꾸려고 합니다.
10000원짜리 지폐로 최대 몇 장까지 바꿀 수 있습니까?

답 : _____

④ 어느 빵집에서 빵 한 개를 만드는 데 밀가루가 100 g 필요합니다.
이 빵집에서 밀가루 6305 g으로 빵을 최대 몇 개까지 만들 수 있습니까?

답 : _____

⑤ 콩 14299개를 한 봉지에 1000개씩 넣어서 팔려고 합니다.
콩을 최대 몇 봉지까지 팔 수 있습니까?

답 : _____

문제 파헤치기

채린이네 학교 5학년 학생들이 모두 체험 학습을 가려면 ■인승 버스가 적어도 ▲대 필요합니다.

채린이네 학교 5학년 학생 수의 범위를 초과와 이하를 이용하여 나타내어 보시오.

⇨

식 세우기

· 버스 (▲−1)대에 탈 수 있는 학생 수: ■×(▲−1)
· 버스 ▲대에 탈 수 있는 학생 수: ■×▲

채린이네 학교 5학년 학생 수의 범위: (■×(▲−1)) 초과 (■×▲) 이하

● 문제를 읽고 해결하기

채린이네 학교 5학년 학생들이 모두 체험 학습을 가려면 15인승 버스가 적어도 9대 필요합니다. 채린이네 학교 5학년 학생 수의 범위를 초과와 이하를 이용하여 나타내어 보시오.

풀이
· (버스 8대에 탈 수 있는 학생 수)
 $=15×8=120$(명)
· (버스 9대에 탈 수 있는 학생 수)
 $=15×9=135$(명)
⇨ 채린이네 학교 5학년 학생 수의 범위: 120명 초과 135명 이하

답 120명 초과 135명 이하

---

① 준호네 반 학생들이 모두 의자에 앉으려면 4명까지 앉을 수 있는 의자가 적어도 6개 필요합니다. 준호네 반 학생 수의 범위를 초과와 이하를 이용하여 나타내어 보시오.

✎ 풀이 공간

· (의자 5개에 앉을 수 있는 학생 수)$=4×$ ☐ $=$ ☐ (명)

· (의자 6개에 앉을 수 있는 학생 수)$=4×$ ☐ $=$ ☐ (명)

⇨ 준호네 반 학생 수의 범위:
☐ 명 초과 ☐ 명 이하

답 : _____

---

② 호수에 놀러 온 관광객들이 모두 배를 타려면 8인승 배가 적어도 10대 필요합니다. 호수에 놀러 온 관광객 수의 범위를 초과와 이하를 이용하여 나타내어 보시오.

✎ 풀이 공간

· (배 9대에 탈 수 있는 관광객 수)$=8×$ ☐ $=$ ☐ (명)

· (배 10대에 탈 수 있는 관광객 수)$=8×$ ☐ $=$ ☐ (명)

⇨ 호수에 놀러 온 관광객 수의 범위:
☐ 명 초과 ☐ 명 이하

답 : _____

3 민수가 만든 초콜릿을 상자에 모두 담으려면
16개까지 담을 수 있는 상자가 적어도 7상자 필요합니다.
민수가 만든 초콜릿의 수의 범위를 초과와 이하를 이용하여 나타내어 보시오.

답 : _____

4 등산 동호회 사람들이 모두 케이블카를 타고 전망대에 오르려면
20인승 케이블카가 적어도 8대 필요합니다.
등산 동호회 사람 수의 범위를 초과와 이하를 이용하여 나타내어 보시오.

답 : _____

5 동우네 학교 학생들이 모두 동물원에 가려면
45인승 버스가 적어도 11대 필요합니다.
동우네 학교 학생 수의 범위를 초과와 이하를 이용하여 나타내어 보시오.

답 : _____

○ 수의 범위에 포함되는 수에 모두 ○표 하시오.

1 12 이상인 수

| 10.6 | 12 | 15.2 | 9 |

2 23 이하인 수

| 20.9 | 24.1 | 16 | 25 |

3 37 초과인 수

| 37 | 41.3 | 32.6 | 38 |

4 50 미만인 수

| 46 | 50 | 49.5 | 52.3 |

5 68 이상 74 미만인 수

| 73.3 | 67.9 | 74 | 68 |

6 89 초과 96 이하인 수

| 89 | 92.7 | 96 | 98 |

○ 올림하여 주어진 자리까지 나타내어 보시오.

7 562(십의 자리까지)

⇨ ( )

8 34001(백의 자리까지)

⇨ ( )

○ 버림하여 주어진 자리까지 나타내어 보시오.

9 740(십의 자리까지)

⇨ ( )

10 6999(천의 자리까지)

⇨ ( )

○ 반올림하여 주어진 자리까지 나타내어 보시오.

11 2873(십의 자리까지)

⇨ ( )

12 2.59(일의 자리까지)

⇨ ( )

13 수직선에 나타낸 수의 범위에 포함되는 자연수를 모두 써 보시오.

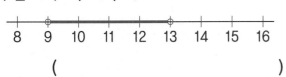

( )

14 올림하여 천의 자리까지 나타내면 9000이 되는 수의 범위를 초과와 이하를 이용하여 나타내어 보시오.

( )

15 버림하여 백의 자리까지 나타내면 4000이 되는 수의 범위를 이상과 미만을 이용하여 나타내어 보시오.

( )

16 반올림하여 십의 자리까지 나타내면 310이 되는 수의 범위를 이상과 미만을 이용하여 나타내어 보시오.

( )

17 민재네 마을에 살고 있는 사람은 1062명입니다. 민재네 마을에는 약 몇백 명 살고 있다고 할 수 있습니까?

( )

18 공 384개를 모두 상자에 담으려고 합니다. 한 상자에 공을 10개씩 담을 수 있다면 상자는 최소 몇 상자 필요합니까?

( )

19 유정이는 저금통에 들어 있는 돈 8150원을 1000원짜리 지폐로 바꾸려고 합니다. 1000원짜리 지폐로 최대 몇 장까지 바꿀 수 있습니까?

( )

20 수영이네 학교 학생들에게 모두 연필을 한 자루씩 나누어 주려면 한 묶음에 24자루 들어 있는 연필이 적어도 5묶음 필요합니다. 수영이네 학교 학생 수의 범위를 초과와 이하를 이용하여 나타내어 보시오.

( )

분수의 곱셈

◆ 맞힌 개수와 걸린 시간을 작성해 보세요.

학습 내용	일 차	맞힌 개수	걸린 시간
⑫ 분모와 분자가 큰 세 분수의 곱셈	10일 차	/10개	/10분
⑬ 수 카드로 곱이 가장 크거나 가장 작은 단위분수의 곱셈식 만들기	11일 차	/10개	/14분
⑭ 수 카드로 만든 가장 큰 대분수와 가장 작은 대분수의 곱 구하기			
⑮ 분수의 곱셈 문장제	12일 차	/5개	/5분
⑯ 전체의 부분만큼은 얼마인지 구하기	13일 차	/5개	/5분
⑰ 세 분수의 곱셈 문장제	14일 차	/4개	/6분
⑱ 남는 양을 이용하여 구하기	15일 차	/5개	/8분
평가 2. 분수의 곱셈	16일 차	/20개	/18분

진분수의

분모는 그대로 두고
분자와 자연수를 곱해!

- $\frac{3}{4} \times 2$의 계산

$\frac{3}{4} \times 2$를 약분 순서에 따라 다음과 같이 계산합니다.

(분자) × (자연수)

- $\frac{3}{\overset{2}{4}} \times \overset{1}{2} = \frac{3 \times 1}{2} = \frac{3}{2} = 1\frac{1}{2}$ ——● 곱셈 과정에서 약분하기

(분자) × (자연수)

- $\frac{3}{4} \times 2 = \frac{3 \times 2}{4} = \frac{\overset{3}{6}}{\underset{2}{4}} = \frac{3}{2} = 1\frac{1}{2}$ ——● 곱셈을 다 한 이후에 약분하기

○ 계산해 보시오.

① $\frac{1}{4} \times 5 =$

② $\frac{1}{7} \times 8 =$

③ $\frac{1}{9} \times 3 =$

④ $\frac{1}{10} \times 4 =$

⑤ $\frac{1}{12} \times 6 =$

⑥ $\frac{2}{3} \times 3 =$

⑦ $\frac{3}{5} \times 6 =$

⑧ $\frac{5}{6} \times 4 =$

⑨ $\frac{6}{7} \times 5 =$

⑩ $\frac{3}{7} \times 14 =$

⑪ $\frac{3}{8} \times 2 =$

⑫ $\frac{5}{8} \times 7 =$

⑬ $\frac{2}{9} \times 5 =$

⑭ $\frac{4}{9} \times 6 =$

⑮ $\frac{7}{9} \times 27 =$

⑯ $\dfrac{3}{10} \times 5 =$

⑰ $\dfrac{7}{10} \times 9 =$

⑱ $\dfrac{6}{11} \times 6 =$

⑲ $\dfrac{5}{12} \times 3 =$

⑳ $\dfrac{9}{14} \times 2 =$

㉑ $\dfrac{2}{15} \times 30 =$

㉒ $\dfrac{11}{16} \times 8 =$

㉓ $\dfrac{5}{18} \times 6 =$

㉔ $\dfrac{4}{21} \times 7 =$

㉕ $\dfrac{13}{24} \times 3 =$

㉖ $\dfrac{6}{25} \times 5 =$

㉗ $\dfrac{7}{26} \times 8 =$

㉘ $\dfrac{8}{27} \times 9 =$

㉙ $\dfrac{9}{28} \times 4 =$

㉚ $\dfrac{17}{30} \times 5 =$

㉛ $\dfrac{9}{34} \times 8 =$

㉜ $\dfrac{6}{35} \times 21 =$

㉝ $\dfrac{5}{36} \times 12 =$

㉞ $\dfrac{8}{37} \times 7 =$

㉟ $\dfrac{10}{39} \times 6 =$

㊱ $\dfrac{7}{40} \times 16 =$

대분수를 가분수로!
가분수의 분모는 그대로 두고, 분자와 자연수를 곱해!

• $1\dfrac{2}{3} \times 2$의 계산

$$1\frac{2}{3} \times 2 = \frac{5}{3} \times 2 = \frac{5 \times 2}{3} = \frac{10}{3} = 3\frac{1}{3}$$

대분수 → 가분수

$(분자) \times (자연수)$

참고 대분수를 자연수와 진분수의 합으로 보고 계산할 수 있습니다.

$$1\frac{2}{3} \times 2 = \left(1 + \frac{2}{3}\right) \times 2 = (1 \times 2) + \left(\frac{2}{3} \times 2\right) = 2 + \frac{4}{3} = 3\frac{1}{3}$$

○ 계산해 보시오.

① $1\dfrac{1}{2} \times 6 =$

② $1\dfrac{1}{3} \times 5 =$

③ $1\dfrac{1}{6} \times 3 =$

④ $1\dfrac{1}{9} \times 4 =$

⑤ $1\dfrac{1}{10} \times 2 =$

⑥ $1\dfrac{3}{4} \times 8 =$

⑦ $1\dfrac{2}{5} \times 7 =$

⑧ $2\dfrac{3}{5} \times 10 =$

⑨ $3\dfrac{5}{6} \times 2 =$

⑩ $2\dfrac{2}{7} \times 4 =$

⑪ $1\dfrac{7}{8} \times 3 =$

⑫ $1\dfrac{5}{9} \times 6 =$

⑬ $1\dfrac{8}{9} \times 18 =$

⑭ $2\dfrac{9}{10} \times 4 =$

⑮ $2\dfrac{2}{11} \times 2 =$

⑯ $1\dfrac{7}{12} \times 4 =$

⑰ $2\dfrac{1}{13} \times 3 =$

⑱ $1\dfrac{3}{14} \times 7 =$

⑲ $2\dfrac{4}{15} \times 5 =$

⑳ $2\dfrac{5}{16} \times 2 =$

㉑ $1\dfrac{1}{17} \times 6 =$

㉒ $1\dfrac{7}{18} \times 9 =$

㉓ $1\dfrac{3}{20} \times 5 =$

㉔ $1\dfrac{1}{21} \times 14 =$

㉕ $2\dfrac{9}{22} \times 11 =$

㉖ $1\dfrac{5}{24} \times 8 =$

㉗ $1\dfrac{13}{25} \times 10 =$

㉘ $1\dfrac{7}{26} \times 3 =$

㉙ $1\dfrac{2}{27} \times 6 =$

㉚ $2\dfrac{1}{28} \times 7 =$

㉛ $1\dfrac{7}{30} \times 2 =$

㉜ $2\dfrac{3}{32} \times 4 =$

㉝ $2\dfrac{2}{33} \times 3 =$

㉞ $1\dfrac{5}{34} \times 17 =$

㉟ $1\dfrac{7}{36} \times 9 =$

㊱ $1\dfrac{4}{39} \times 13 =$

진분수의

분모는 그대로 두고
자연수와 분자를 곱해!

• $3 \times \dfrac{5}{6}$의 계산

$3 \times \dfrac{5}{6}$를 약분 순서에 따라 다음과 같이 계산합니다.

• $\overset{1}{\cancel{3}} \times \dfrac{5}{\underset{2}{\cancel{6}}} = \dfrac{1 \times 5}{2} = \dfrac{5}{2} = 2\dfrac{1}{2}$ ─→ 곱셈 과정에서 약분하기

(자연수)×(분자)

• $3 \times \dfrac{5}{6} = \dfrac{3 \times 5}{6} = \dfrac{\overset{5}{\cancel{15}}}{\underset{2}{\cancel{6}}} = \dfrac{5}{2} = 2\dfrac{1}{2}$ ─→ 곱셈을 다 한 이후에 약분하기

○ 계산해 보시오.

① $7 \times \dfrac{1}{5} =$

② $8 \times \dfrac{1}{6} =$

③ $10 \times \dfrac{1}{8} =$

④ $13 \times \dfrac{1}{11} =$

⑤ $9 \times \dfrac{1}{15} =$

⑥ $6 \times \dfrac{3}{4} =$

⑦ $3 \times \dfrac{4}{5} =$

⑧ $15 \times \dfrac{2}{5} =$

⑨ $4 \times \dfrac{6}{7} =$

⑩ $10 \times \dfrac{2}{7} =$

⑪ $5 \times \dfrac{5}{8} =$

⑫ $16 \times \dfrac{7}{8} =$

⑬ $8 \times \dfrac{8}{9} =$

⑭ $12 \times \dfrac{4}{9} =$

⑮ $6 \times \dfrac{9}{10} =$

⑯ $7 \times \dfrac{5}{12} =$

⑰ $5 \times \dfrac{9}{13} =$

⑱ $4 \times \dfrac{11}{14} =$

⑲ $3 \times \dfrac{14}{15} =$

⑳ $6 \times \dfrac{5}{16} =$

㉑ $8 \times \dfrac{6}{17} =$

㉒ $14 \times \dfrac{9}{20} =$

㉓ $16 \times \dfrac{3}{22} =$

㉔ $4 \times \dfrac{8}{23} =$

㉕ $6 \times \dfrac{5}{24} =$

㉖ $30 \times \dfrac{6}{25} =$

㉗ $12 \times \dfrac{4}{27} =$

㉘ $14 \times \dfrac{9}{28} =$

㉙ $9 \times \dfrac{11}{30} =$

㉚ $6 \times \dfrac{14}{33} =$

㉛ $25 \times \dfrac{6}{35} =$

㉜ $10 \times \dfrac{9}{38} =$

㉝ $8 \times \dfrac{13}{40} =$

㉞ $15 \times \dfrac{5}{42} =$

㉟ $20 \times \dfrac{4}{45} =$

㊱ $21 \times \dfrac{7}{48} =$

4 (자연수) × (대분수)

대분수를 가분수로!
가분수의 분모는 그대로 두고,
자연수와 분자를 곱해!

• $4 \times 1\frac{1}{6}$의 계산

$$4 \times 1\frac{1}{6} = \overset{2}{4} \times \frac{7}{\underset{3}{6}} = \frac{2 \times 7}{3} = \frac{14}{3} = 4\frac{2}{3}$$

(자연수) × (분자)

대분수 → 가분수

참고 대분수를 자연수와 진분수의 합으로 보고 계산할 수 있습니다.

$$4 \times 1\frac{1}{6} = 4 \times (1 + \frac{1}{6}) = (4 \times 1) + \left(\overset{2}{4} \times \frac{1}{\underset{3}{6}}\right) = 4 + \frac{2}{3} = 4\frac{2}{3}$$

○ 계산해 보시오.

① $8 \times 1\frac{1}{4} =$

② $3 \times 1\frac{1}{5} =$

③ $5 \times 1\frac{1}{7} =$

④ $6 \times 1\frac{1}{8} =$

⑤ $4 \times 1\frac{1}{15} =$

⑥ $12 \times 3\frac{1}{2} =$

⑦ $8 \times 2\frac{1}{3} =$

⑧ $10 \times 1\frac{3}{4} =$

⑨ $2 \times 2\frac{4}{5} =$

⑩ $9 \times 3\frac{1}{6} =$

⑪ $2 \times 1\frac{6}{7} =$

⑫ $5 \times 2\frac{3}{8} =$

⑬ $3 \times 2\frac{7}{9} =$

⑭ $8 \times 1\frac{3}{10} =$

⑮ $6 \times 2\frac{1}{12} =$

⑯ $3 \times 1\dfrac{5}{14} =$

⑰ $10 \times 1\dfrac{2}{15} =$

⑱ $4 \times 2\dfrac{9}{16} =$

⑲ $2 \times 2\dfrac{5}{18} =$

⑳ $8 \times 1\dfrac{7}{20} =$

㉑ $9 \times 1\dfrac{4}{21} =$

㉒ $6 \times 1\dfrac{13}{22} =$

㉓ $12 \times 1\dfrac{7}{24} =$

㉔ $15 \times 1\dfrac{4}{25} =$

㉕ $2 \times 2\dfrac{3}{26} =$

㉖ $3 \times 2\dfrac{8}{27} =$

㉗ $6 \times 1\dfrac{9}{28} =$

㉘ $4 \times 1\dfrac{2}{29} =$

㉙ $5 \times 2\dfrac{11}{30} =$

㉚ $8 \times 3\dfrac{1}{32} =$

㉛ $7 \times 2\dfrac{8}{35} =$

㉜ $3 \times 2\dfrac{5}{36} =$

㉝ $4 \times 1\dfrac{7}{38} =$

㉞ $6 \times 1\dfrac{9}{40} =$

㉟ $14 \times 1\dfrac{17}{42} =$

㊱ $10 \times 2\dfrac{4}{45} =$

- $\dfrac{2}{3} \times \dfrac{3}{5}$의 계산

$\dfrac{2}{3} \times \dfrac{3}{5}$을 약분 순서에 따라 다음과 같이 계산합니다.

- $\dfrac{2}{\underset{1}{3}} \times \dfrac{\overset{1}{3}}{5} = \dfrac{2 \times 1}{1 \times 5} = \dfrac{2}{5}$ $\xrightarrow{}$ 곱셈 과정에서 약분하기

(분자) × (분자)
(분모) × (분모)

- $\dfrac{2}{3} \times \dfrac{3}{5} = \dfrac{2 \times 3}{3 \times 5} = \dfrac{\overset{2}{6}}{\underset{5}{15}} = \dfrac{2}{5}$ $\xrightarrow{}$ 곱셈을 다 한 이후에 약분하기

(분자) × (분자)
(분모) × (분모)

분자는 분자끼리, 분모는 분모끼리 곱해!

○ 계산해 보시오.

① $\dfrac{1}{4} \times \dfrac{1}{7} =$

② $\dfrac{1}{5} \times \dfrac{1}{3} =$

③ $\dfrac{1}{6} \times \dfrac{1}{2} =$

④ $\dfrac{1}{7} \times \dfrac{1}{8} =$

⑤ $\dfrac{1}{9} \times \dfrac{1}{4} =$

⑥ $\dfrac{1}{2} \times \dfrac{4}{5} =$

⑦ $\dfrac{2}{3} \times \dfrac{3}{8} =$

⑧ $\dfrac{3}{4} \times \dfrac{5}{6} =$

⑨ $\dfrac{2}{5} \times \dfrac{1}{7} =$

⑩ $\dfrac{4}{5} \times \dfrac{5}{8} =$

⑪ $\dfrac{5}{6} \times \dfrac{2}{3} =$

⑫ $\dfrac{3}{7} \times \dfrac{5}{9} =$

⑬ $\dfrac{5}{7} \times \dfrac{3}{5} =$

⑭ $\dfrac{3}{8} \times \dfrac{4}{5} =$

⑮ $\dfrac{7}{8} \times \dfrac{6}{7} =$

⑯ $\dfrac{2}{9} \times \dfrac{5}{6} =$

⑰ $\dfrac{4}{9} \times \dfrac{2}{5} =$

⑱ $\dfrac{8}{9} \times \dfrac{3}{4} =$

⑲ $\dfrac{3}{10} \times \dfrac{5}{8} =$

⑳ $\dfrac{7}{10} \times \dfrac{4}{9} =$

㉑ $\dfrac{6}{11} \times \dfrac{3}{8} =$

㉒ $\dfrac{5}{12} \times \dfrac{9}{10} =$

㉓ $\dfrac{6}{13} \times \dfrac{2}{9} =$

㉔ $\dfrac{5}{14} \times \dfrac{7}{8} =$

㉕ $\dfrac{4}{15} \times \dfrac{5}{7} =$

㉖ $\dfrac{3}{16} \times \dfrac{8}{9} =$

㉗ $\dfrac{7}{18} \times \dfrac{9}{14} =$

㉘ $\dfrac{4}{19} \times \dfrac{5}{6} =$

㉙ $\dfrac{8}{21} \times \dfrac{6}{7} =$

㉚ $\dfrac{5}{24} \times \dfrac{9}{10} =$

㉛ $\dfrac{12}{25} \times \dfrac{5}{6} =$

㉜ $\dfrac{10}{27} \times \dfrac{3}{8} =$

㉝ $\dfrac{9}{28} \times \dfrac{14}{15} =$

㉞ $\dfrac{11}{30} \times \dfrac{5}{22} =$

㉟ $\dfrac{15}{34} \times \dfrac{17}{20} =$

㊱ $\dfrac{16}{35} \times \dfrac{7}{24} =$

대분수를 가분수로!

분자는 분자끼리,
분모는 분모끼리 곱해!

- $1\frac{1}{2} \times 1\frac{1}{5}$의 계산

$$1\frac{1}{2} \times 1\frac{1}{5} = \frac{3}{2} \times \overset{3}{\underset{1}{\frac{6}{5}}} = \frac{3 \times 3}{1 \times 5} = \frac{9}{5} = 1\frac{4}{5}$$

(분자) × (분자)
(분모) × (분모)
대분수 → 가분수

참고 대분수를 자연수와 진분수의 합으로 보고 계산할 수 있습니다.

$$1\frac{1}{2} \times 1\frac{1}{5} = \left(1\frac{1}{2} \times 1\right) + \left(1\frac{1}{2} \times \frac{1}{5}\right)$$
$$= 1\frac{1}{2} + \left(\frac{3}{2} \times \frac{1}{5}\right) = 1\frac{1}{2} + \frac{3}{10} = 1\frac{8}{10} = 1\frac{4}{5}$$

○ 계산해 보시오.

① $1\frac{1}{2} \times 1\frac{1}{6} =$

② $1\frac{1}{4} \times 1\frac{1}{3} =$

③ $1\frac{1}{7} \times 1\frac{1}{4} =$

④ $1\frac{1}{8} \times 1\frac{1}{3} =$

⑤ $1\frac{1}{9} \times 1\frac{1}{2} =$

⑥ $1\frac{2}{3} \times 1\frac{2}{5} =$

⑦ $1\frac{3}{4} \times 1\frac{5}{7} =$

⑧ $2\frac{1}{4} \times 1\frac{5}{6} =$

⑨ $1\frac{4}{5} \times 1\frac{5}{9} =$

⑩ $2\frac{3}{5} \times 1\frac{1}{4} =$

⑪ $3\frac{2}{5} \times 2\frac{1}{2} =$

⑫ $1\frac{5}{6} \times 1\frac{3}{4} =$

⑬ $2\frac{1}{6} \times 1\frac{3}{5} =$

⑭ $1\frac{3}{7} \times 2\frac{1}{3} =$

⑮ $2\frac{2}{7} \times 1\frac{1}{8} =$

⑯ $3\dfrac{5}{7} \times 1\dfrac{1}{6} =$

⑰ $1\dfrac{7}{8} \times 3\dfrac{1}{5} =$

⑱ $2\dfrac{5}{8} \times 1\dfrac{2}{3} =$

⑲ $1\dfrac{8}{9} \times 2\dfrac{1}{4} =$

⑳ $2\dfrac{2}{9} \times 2\dfrac{2}{5} =$

㉑ $3\dfrac{1}{9} \times 1\dfrac{1}{7} =$

㉒ $1\dfrac{3}{10} \times 2\dfrac{1}{2} =$

㉓ $1\dfrac{7}{10} \times 1\dfrac{7}{8} =$

㉔ $1\dfrac{4}{11} \times 1\dfrac{5}{6} =$

㉕ $2\dfrac{2}{11} \times 3\dfrac{3}{4} =$

㉖ $1\dfrac{7}{12} \times 1\dfrac{7}{9} =$

㉗ $2\dfrac{1}{12} \times 1\dfrac{4}{5} =$

㉘ $1\dfrac{5}{13} \times 2\dfrac{1}{6} =$

㉙ $2\dfrac{4}{13} \times 3\dfrac{1}{3} =$

㉚ $1\dfrac{1}{14} \times 2\dfrac{5}{8} =$

㉛ $1\dfrac{7}{15} \times 2\dfrac{1}{7} =$

㉜ $1\dfrac{5}{16} \times 2\dfrac{2}{3} =$

㉝ $1\dfrac{9}{17} \times 2\dfrac{5}{6} =$

㉞ $1\dfrac{7}{18} \times 1\dfrac{5}{7} =$

㉟ $1\dfrac{3}{19} \times 4\dfrac{3}{4} =$

㊱ $1\dfrac{4}{21} \times 3\dfrac{3}{5} =$

세 분수를
한꺼번에 곱해!
이때, 대분수가 있으면
가분수로 나타낸 후 계산해!

- $\frac{1}{2} \times \frac{4}{5} \times 1\frac{2}{3}$ 의 계산

$\frac{1}{2} \times \frac{4}{5} \times 1\frac{2}{3}$ 를 약분 순서에 따라 다음과 같이 계산합니다.

- $\frac{1}{2} \times \frac{4}{5} \times 1\frac{2}{3} = \frac{1}{2} \times \frac{\overset{2}{\cancel{4}}}{\underset{1}{\cancel{5}}} \times \frac{\overset{1}{\cancel{5}}}{\underset{1}{\cancel{3}}} = \frac{2}{3}$ ──→ 곱셈 과정에서 약분하기

  대분수 → 가분수

- $\frac{1}{2} \times \frac{4}{5} \times 1\frac{2}{3} = \frac{1}{2} \times \frac{4}{5} \times \frac{5}{3}$

  $= \frac{1 \times 4 \times 5}{2 \times 5 \times 3} = \frac{\overset{2}{\cancel{20}}}{\underset{3}{\cancel{30}}} = \frac{2}{3}$ ──→ 곱셈을 다 한 이후에 약분하기

○ 계산해 보시오.

① $\frac{1}{2} \times \frac{1}{4} \times \frac{1}{7} =$

② $\frac{1}{9} \times \frac{2}{3} \times \frac{1}{2} =$

③ $\frac{1}{3} \times \frac{5}{6} \times \frac{3}{5} =$

④ $\frac{5}{8} \times \frac{2}{5} \times \frac{1}{4} =$

⑤ $\frac{3}{7} \times \frac{1}{8} \times \frac{7}{9} =$

⑥ $\frac{3}{4} \times \frac{4}{5} \times \frac{5}{7} =$

⑦ $\frac{5}{6} \times \frac{2}{3} \times \frac{7}{8} =$

⑧ $\frac{4}{7} \times \frac{5}{9} \times \frac{3}{5} =$

⑨ $\frac{3}{8} \times \frac{2}{5} \times \frac{5}{6} =$

⑩ $\frac{5}{9} \times \frac{3}{4} \times \frac{9}{10} =$

⑪ $\dfrac{3}{5} \times \dfrac{5}{8} \times 1\dfrac{1}{2} =$

⑱ $\dfrac{3}{4} \times 2\dfrac{1}{7} \times 1\dfrac{3}{5} =$

⑫ $\dfrac{4}{7} \times \dfrac{3}{4} \times 1\dfrac{5}{6} =$

⑲ $\dfrac{2}{9} \times 1\dfrac{7}{8} \times 4\dfrac{2}{3} =$

⑬ $\dfrac{5}{8} \times \dfrac{4}{9} \times 2\dfrac{2}{3} =$

⑳ $2\dfrac{4}{5} \times \dfrac{5}{7} \times 4\dfrac{1}{6} =$

⑭ $\dfrac{5}{6} \times 1\dfrac{1}{3} \times \dfrac{3}{7} =$

㉑ $3\dfrac{3}{4} \times \dfrac{3}{8} \times 1\dfrac{7}{9} =$

⑮ $\dfrac{2}{9} \times 2\dfrac{1}{4} \times \dfrac{4}{5} =$

㉒ $2\dfrac{5}{8} \times 2\dfrac{2}{7} \times \dfrac{8}{9} =$

⑯ $1\dfrac{2}{5} \times \dfrac{6}{7} \times \dfrac{3}{4} =$

㉓ $4\dfrac{2}{7} \times 2\dfrac{2}{9} \times \dfrac{9}{10} =$

⑰ $1\dfrac{7}{8} \times \dfrac{2}{3} \times \dfrac{4}{9} =$

㉔ $1\dfrac{1}{6} \times 1\dfrac{7}{8} \times 2\dfrac{2}{5} =$

화살표 방향에 따라 곱셈식을 세워!

● 빈칸에 알맞은 수 구하기

4	$\dfrac{4}{9}$	$1\dfrac{7}{9}$
$\dfrac{4}{5}$	$\dfrac{5}{6}$	$\dfrac{2}{3}$

$\begin{cases} 4 \times \dfrac{4}{9} = 1\dfrac{7}{9} \end{cases}$

$\begin{cases} \dfrac{4}{5} \times \dfrac{5}{6} = \dfrac{2}{3} \end{cases}$

○ 빈칸에 알맞은 수를 써넣으시오.

① ×

$\dfrac{5}{6}$	3	
$\dfrac{3}{5}$	$\dfrac{5}{9}$	

④ ×

10	$1\dfrac{7}{8}$	
$\dfrac{3}{4}$	16	

② ×

9	$\dfrac{8}{15}$	
$3\dfrac{1}{9}$	6	

⑤ ×

$\dfrac{3}{8}$	$\dfrac{12}{13}$	
14	$\dfrac{9}{10}$	

③ ×

8	$1\dfrac{1}{6}$	
$3\dfrac{1}{3}$	$2\dfrac{3}{4}$	

⑥ ×

$3\dfrac{3}{7}$	$2\dfrac{5}{8}$	
$2\dfrac{5}{6}$	15	

9 분수의 곱 구하기

곱
→ **곱셈식**을 이용해!

● 분수의 곱 구하기

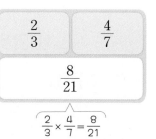

$$\frac{2}{3} \qquad \frac{4}{7}$$

$$\frac{8}{21}$$

$$\frac{2}{3} \times \frac{4}{7} = \frac{8}{21}$$

○ 분수의 곱을 빈칸에 써넣으시오.

7

$\frac{3}{8}$	4

11

$\frac{4}{9}$	$\frac{6}{7}$

8

$\frac{2}{5}$	$\frac{3}{4}$

12

$2\frac{2}{5}$	7

9

$3\frac{3}{4}$	$2\frac{2}{9}$

13

12	$\frac{9}{16}$

10

5	$2\frac{1}{2}$

14

$3\frac{4}{7}$	$5\frac{5}{6}$

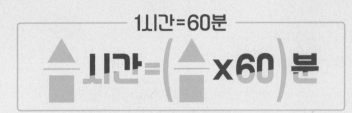

1시간＝60분

$$\dfrac{\blacktriangle}{\blacksquare}\text{시간}=\left(\dfrac{\blacktriangle}{\blacksquare}\times 60\right)\text{분}$$

1분＝60초

$$\dfrac{\blacktriangle}{\blacksquare}\text{분}=\left(\dfrac{\blacktriangle}{\blacksquare}\times 60\right)\text{초}$$

• $\dfrac{1}{2}$ 시간을 분 단위로 나타내기

1시간＝60분

⇨ $\dfrac{1}{2}$ 시간＝$\left(\dfrac{1}{\overset{}{\underset{1}{2}}}\times\overset{30}{60}\right)$분＝30분

• $\dfrac{1}{2}$ 분을 초 단위로 나타내기

1분＝60초

⇨ $\dfrac{1}{2}$ 분＝$\left(\dfrac{1}{\overset{}{\underset{1}{2}}}\times\overset{30}{60}\right)$초＝30초

○ 시간을 분 단위로, 분을 초 단위로 나타내어 보시오.

① $\dfrac{3}{4}$시간＝ ☐ 분

② $\dfrac{2}{5}$시간＝ ☐ 분

③ $\dfrac{7}{12}$시간＝ ☐ 분

④ $1\dfrac{1}{2}$시간＝ ☐ 분

⑤ $1\dfrac{5}{6}$시간＝ ☐ 분

⑥ $\dfrac{2}{3}$분＝ ☐ 초

⑦ $\dfrac{8}{15}$분＝ ☐ 초

⑧ $\dfrac{9}{20}$분＝ ☐ 초

⑨ $1\dfrac{1}{4}$분＝ ☐ 초

⑩ $1\dfrac{4}{5}$분＝ ☐ 초

11 m를 cm 단위로, L를 mL 단위로 나타내기

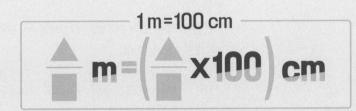

$$1\,m=100\,cm$$
$$\frac{\triangle}{\square}\,m=\left(\frac{\triangle}{\square}\times 100\right)cm$$

$$1\,L=1000\,mL$$
$$\frac{\triangle}{\square}\,L=\left(\frac{\triangle}{\square}\times 1000\right)mL$$

• $\frac{1}{2}$ **m를 cm 단위로 나타내기**

$1\,m=100\,cm$

$\Rightarrow \frac{1}{2}\,m=\left(\frac{1}{2}\times \overset{50}{\underset{1}{100}}\right)cm=50\,cm$

• $\frac{1}{2}$ **L를 mL 단위로 나타내기**

$1\,L=1000\,mL$

$\Rightarrow \frac{1}{2}\,L=\left(\frac{1}{2}\times \overset{500}{\underset{1}{1000}}\right)mL=500\,mL$

참고 $\frac{\triangle}{\square}\,kg=\left(\frac{\triangle}{\square}\times 1000\right)g$을 이용하여

kg을 g 단위로 나타낼 수 있습니다.

○ m를 cm 단위로, L를 mL 단위로 나타내어 보시오.

⑪ $\frac{1}{4}$ m = ☐ cm

⑯ $\frac{1}{8}$ L = ☐ mL

⑫ $\frac{4}{5}$ m = ☐ cm

⑰ $\frac{3}{4}$ L = ☐ mL

⑬ $\frac{6}{25}$ m = ☐ cm

⑱ $\frac{7}{20}$ L = ☐ mL

⑭ $1\frac{7}{10}$ m = ☐ cm

⑲ $1\frac{8}{25}$ L = ☐ mL

⑮ $1\frac{3}{20}$ m = ☐ cm

⑳ $1\frac{9}{50}$ L = ☐ mL

- $\frac{15}{16} \times \frac{10}{21} \times \frac{24}{25}$ 를 간단하게 기약분수로 구하기

① 세 분수의 분모와 분자를 각각 작은 두 수의 곱으로 나타냅니다.

$$\frac{15}{16} = \frac{3 \times 5}{2 \times 8}, \quad \frac{10}{21} = \frac{2 \times 5}{3 \times 7}, \quad \frac{24}{25} = \frac{3 \times 8}{5 \times 5}$$

② 분모와 분자를 약분합니다.

$$\frac{15}{16} \times \frac{10}{21} \times \frac{24}{25} = \frac{3 \times 5 \times 2 \times 5 \times 3 \times 8}{2 \times 8 \times 3 \times 7 \times 5 \times 5} = \frac{3}{7}$$

세 분수의 **분모와 분자를** 곱셈구구를 이용해 각각 **작은 두 수의 곱**으로 나타낸 후 계산해!

○ 세 분수의 분모와 분자를 각각 작은 두 수의 곱으로 나타내어 분수의 곱셈을 하려고 합니다. 계산을 하여 기약분수로 나타내어 보시오.

❶ $\dfrac{14}{15} \times \dfrac{25}{28} \times \dfrac{12}{35}$

$$= \frac{2 \times 7 \times 5 \times 5 \times 3 \times \square}{3 \times 5 \times 4 \times \square \times 5 \times \square}$$

$$= \boxed{}$$

❸ $\dfrac{24}{25} \times \dfrac{35}{48} \times \dfrac{15}{28}$

$$= \frac{4 \times \square \times 5 \times \square \times 3 \times \square}{5 \times \square \times 6 \times \square \times 4 \times \square}$$

$$= \boxed{}$$

❷ $\dfrac{16}{21} \times \dfrac{28}{45} \times \dfrac{15}{32}$

$$= \frac{2 \times \square \times 4 \times 7 \times 3 \times \square}{3 \times 7 \times 5 \times \square \times 4 \times 8}$$

$$= \boxed{}$$

❹ $\dfrac{16}{27} \times \dfrac{21}{32} \times \dfrac{16}{49}$

$$= \frac{2 \times \square \times 3 \times \square \times 4 \times \square}{3 \times \square \times 4 \times \square \times 7 \times \square}$$

$$= \boxed{}$$

5 $\dfrac{27}{32} \times \dfrac{16}{35} \times \dfrac{28}{45}$

$= \dfrac{3\times\boxed{}\times2\times\boxed{}\times4\times\boxed{}}{4\times\boxed{}\times5\times\boxed{}\times5\times\boxed{}}$

$= \boxed{}$

8 $\dfrac{45}{56} \times \dfrac{14}{25} \times \dfrac{40}{81}$

$= \dfrac{5\times\boxed{}\times2\times\boxed{}\times5\times\boxed{}}{7\times\boxed{}\times5\times\boxed{}\times9\times\boxed{}}$

$= \boxed{}$

6 $\dfrac{24}{35} \times \dfrac{49}{64} \times \dfrac{25}{56}$

$= \dfrac{3\times\boxed{}\times7\times\boxed{}\times5\times\boxed{}}{5\times\boxed{}\times8\times\boxed{}\times7\times\boxed{}}$

$= \boxed{}$

9 $\dfrac{16}{63} \times \dfrac{20}{27} \times \dfrac{21}{32}$

$= \dfrac{2\times\boxed{}\times4\times\boxed{}\times3\times\boxed{}}{7\times\boxed{}\times3\times\boxed{}\times4\times\boxed{}}$

$= \boxed{}$

7 $\dfrac{27}{40} \times \dfrac{35}{36} \times \dfrac{20}{49}$

$= \dfrac{3\times\boxed{}\times5\times\boxed{}\times4\times\boxed{}}{5\times\boxed{}\times4\times\boxed{}\times7\times\boxed{}}$

$= \boxed{}$

10 $\dfrac{49}{72} \times \dfrac{45}{56} \times \dfrac{40}{63}$

$= \dfrac{7\times\boxed{}\times5\times\boxed{}\times5\times\boxed{}}{8\times\boxed{}\times7\times\boxed{}\times7\times\boxed{}}$

$= \boxed{}$

수 카드로 곱이 가장 크거나 가장 작은 단위분수의 곱셈식 만들기

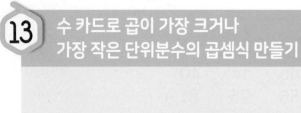

● 수 카드 5장 중 2장을 사용하여 곱이 가장 클 때와 가장 작을 때의 단위분수의 곱셈식 만들기

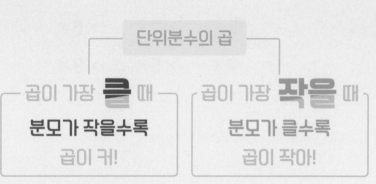

단위분수의 곱

곱이 가장 **클** 때
분모가 작을수록
곱이 커!

곱이 가장 **작을** 때
분모가 클수록
곱이 작아!

| 2 | 3 | 4 | 5 | 6 |

・곱이 가장 큰 곱셈식: $\dfrac{1}{2} \times \dfrac{1}{3} = \dfrac{1}{6}$

분모의 곱이 가장 작도록 두 수 놓기

・곱이 가장 작은 곱셈식: $\dfrac{1}{6} \times \dfrac{1}{5} = \dfrac{1}{30}$

분모의 곱이 가장 크도록 두 수 놓기

○ 수 카드 5장 중 2장을 사용하여 단위분수의 곱셈식을 만들려고 합니다.

곱이 가장 클 때와 가장 작을 때의 단위분수의 곱셈식을 각각 만들고 계산해 보시오.

수 카드	곱이 가장 큰 단위분수의 곱셈식	곱이 가장 작은 단위분수의 곱셈식
❶ 3 2 8 6 4	$\dfrac{1}{\square} \times \dfrac{1}{\square} = \boxed{}$	$\dfrac{1}{\square} \times \dfrac{1}{\square} = \boxed{}$
❷ 5 9 3 4 7	$\dfrac{1}{\square} \times \dfrac{1}{\square} = \boxed{}$	$\dfrac{1}{\square} \times \dfrac{1}{\square} = \boxed{}$
❸ 7 4 6 8 5	$\dfrac{1}{\square} \times \dfrac{1}{\square} = \boxed{}$	$\dfrac{1}{\square} \times \dfrac{1}{\square} = \boxed{}$
❹ 8 6 5 7 9	$\dfrac{1}{\square} \times \dfrac{1}{\square} = \boxed{}$	$\dfrac{1}{\square} \times \dfrac{1}{\square} = \boxed{}$

14 수 카드로 만든 가장 큰 대분수와 가장 작은 대분수의 곱 구하기

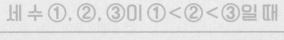

세 수 ①, ②, ③이 ①<②<③일 때

● 수 카드 3장을 한 번씩만 사용하여 만들 수 있는 가장 큰 대분수와 가장 작은 대분수의 곱 구하기

$$\boxed{1} \quad \boxed{2} \quad \boxed{3}$$

• 가장 큰 대분수: $3\frac{1}{2}$ ⌐● 가장 큰 수

• 가장 작은 대분수: $1\frac{2}{3}$ ⌐● 가장 작은 수

⇨ 두 대분수의 곱: $3\frac{1}{2} \times 1\frac{2}{3} = 5\frac{5}{6}$

○ 수 카드 3장을 한 번씩만 사용하여 가장 큰 대분수와 가장 작은 대분수를 각각 만들었습니다.
　만든 두 대분수의 곱을 구하는 식을 만들고 계산해 보시오.

5 $\boxed{1} \quad \boxed{5} \quad \boxed{2}$

곱셈식 : _____

8 $\boxed{2} \quad \boxed{1} \quad \boxed{7}$

곱셈식 : _____

6 $\boxed{3} \quad \boxed{4} \quad \boxed{1}$

곱셈식 : _____

9 $\boxed{4} \quad \boxed{2} \quad \boxed{3}$

곱셈식 : _____

7 $\boxed{5} \quad \boxed{1} \quad \boxed{4}$

곱셈식 : _____

10 $\boxed{7} \quad \boxed{3} \quad \boxed{1}$

곱셈식 : _____

럽의 수: ▲

한 럽에 들어 있는
주스의 양: ■

럽 ▲개에 들어 있는 주스의 양: ■ × ▲

● 문제를 읽고 식을 세워 답 구하기

주스가 $\frac{1}{8}$ L씩 들어 있는 컵이

6개 있습니다.
컵 6개에 들어 있는 주스는
모두 몇 L입니까?

식 $\frac{1}{8} \times 6 = \frac{3}{4}$

답 $\frac{3}{4}$ L

❶ 한 명이 피자 한 판의 $\frac{3}{4}$씩 먹으려고 합니다.

8명이 먹으려면 피자는 모두 몇 판 필요합니까?

계산 공간

식 :
한 명이 먹는 피자의 양 × 사람 수 = 필요한 피자의 양

답 :

❷ 멜론 한 통의 무게는 $1\frac{5}{6}$ kg입니다.

멜론 3통의 무게는 모두 몇 kg입니까?

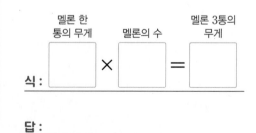

식 :
멜론 한 통의 무게 × 멜론의 수 = 멜론 3통의 무게

답 :

③ 한 명에게 우유를 $\dfrac{3}{20}$ L씩 나누어 주려고 합니다.

15명에게 나누어 주려면 우유는 모두 몇 L 필요합니까?

식 : _____

답 : _____

④ 어느 영화관의 평일 영화 관람료는 9000원입니다.

주말 영화 관람료가 평일 영화 관람료의 $1\dfrac{2}{3}$배라면 주말 영화 관람료는 얼마입니까?

식 : _____

답 : _____

⑤ 귤이 작은 상자에는 $2\dfrac{2}{5}$ kg 들어 있고,

큰 상자에는 작은 상자의 $2\dfrac{7}{9}$배만큼 들어 있습니다.

큰 상자에 들어 있는 귤은 몇 kg입니까?

식 : _____

답 : _____

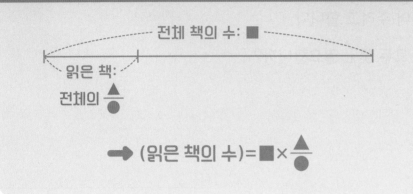

16 전체의 부분만큼은 얼마인지 구하기

●문제를 읽고 식을 세워 답 구하기

연주는 가지고 있는 책 21권 중에서 $\frac{2}{7}$만큼 읽었습니다.

연주가 읽은 책은 몇 권입니까?

식 $21 \times \frac{2}{7} = 6$

답 6권

① 끈 $\frac{7}{8}$ m의 $\frac{4}{5}$ 를 사용하여 매듭을 만들었습니다.

매듭을 만드는 데 사용한 끈의 길이는 몇 m입니까?

✎ 계산 공간

처음에 있던 끈의 길이		사용한 끈의 부분		사용한 끈의 길이

식 :

답 :

② 정규네 반 전체 학생은 36명입니다.

남학생이 전체 학생의 $\frac{5}{9}$ 라면

정규네 반 남학생은 몇 명입니까?

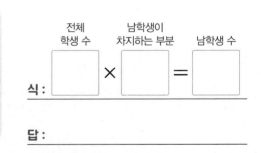

전체 학생 수		남학생이 차지하는 부분		남학생 수

식 :

답 :

③ 영호는 집에서 14 km 떨어진 할머니 댁에 가고 있습니다.

전체 거리의 $\frac{7}{10}$ 을 버스를 타고 갔다면

영호가 버스를 타고 간 거리는 몇 km입니까?

식 : _____

답 : _____

④ 넓이가 $\frac{9}{16}$ m²인 색종이의 $\frac{2}{3}$ 를 잘라서 사용했습니다.

사용한 색종이의 넓이는 몇 m²입니까?

식 : _____

답 : _____

⑤ 1시간에 물이 16 L씩 나오는 수도가 있습니다.

이 수도에서 $\frac{11}{12}$ 시간 동안 받은 물은 몇 L입니까?

식 : _____

답 : _____

문제 파헤치기

1 주희네 학교 5학년 학생은 전체 학생의 ▲／● 입니다. 5학년의 ★／■ 은 남학생이고,

2 그중 ◆／♥ 는 수학을 좋아합니다. 수학을 좋아하는 5학년 남학생은 전체 학생의 얼마입니까?

식 세우기

전체 학생 중 5학년 남학생 부분:

$$\frac{▲}{●} \times \frac{★}{■}$$

전체 학생 중 수학을 좋아하는 5학년 남학생 부분:

$$\frac{▲}{●} \times \frac{★}{■} \times \frac{◆}{♥}$$

● 문제를 읽고 식을 세워 답 구하기

주희네 학교 5학년 학생은 전체 학생의 $\frac{1}{4}$ 입니다.

5학년의 $\frac{1}{3}$ 은 남학생이고,

그중 $\frac{1}{2}$ 은 수학을 좋아합니다.

수학을 좋아하는 5학년 남학생은 전체 학생의 얼마입니까?

① 전체 학생 중 5학년 남학생 부분

식 $\frac{1}{4} \times \frac{1}{3} \times \frac{1}{2} = \frac{1}{24}$

② 전체 학생 중 수학을 좋아하는 5학년 남학생 부분

답 $\frac{1}{24}$

---

1 영주는 전체 밭의 $\frac{1}{5}$ 에 꽃을 심었습니다.

꽃을 심은 밭의 $\frac{1}{6}$ 에는 장미를 심었고, 그중 $\frac{5}{8}$ 는 빨간색 장미였습니다.

빨간색 장미를 심은 밭은 전체 밭의 얼마입니까?

문제 파헤치기

영주는 전체 밭의 $\frac{1}{5}$ 에 꽃을 심었습니다. 꽃을 심은 밭의 $\frac{1}{6}$ 에는 장미를 심었고,

그중 $\frac{5}{8}$ 는 빨간색 장미였습니다. 빨간색 장미를 심은 밭은 전체 밭의 얼마입니까?

식 세우기

전체 밭 중 장미를 심은 밭 부분:

$$\frac{1}{5} \times \boxed{}$$

전체 밭 중 빨간색 장미를 심은 밭 부분:

$$\frac{1}{5} \times \boxed{} \times \boxed{}$$

답 :

② 상자에 들어 있는 전체 공의 $\dfrac{2}{5}$ 는 탁구공입니다.

탁구공의 $\dfrac{1}{4}$ 은 주황색이고, 그중 $\dfrac{3}{8}$ 은 바람이 빠진 탁구공입니다.

바람이 빠진 주황색 탁구공은 전체 공의 얼마입니까?

식 : _____

답 : _____

③ 제훈이는 전체 밭의 $\dfrac{3}{4}$ 에 채소를 심었습니다.

채소를 심은 밭의 $\dfrac{7}{9}$ 에는 배추를 심었고, 그중 $\dfrac{4}{7}$ 의 배추를 수확했습니다.

배추를 수확한 밭은 전체 밭의 얼마입니까?

식 : _____

답 : _____

④ 동물원 입장객 중 어린이 입장객은 전체 입장객의 $\dfrac{4}{5}$ 입니다.

어린이 입장객의 $\dfrac{7}{8}$ 은 6세 미만이고, 그중 $\dfrac{5}{6}$ 는 남자 어린이 입장객입니다.

6세 미만인 남자 어린이 입장객은 전체 입장객의 얼마입니까?

식 : _____

답 : _____

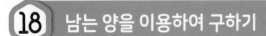

18 남는 양을 이용하여 구하기

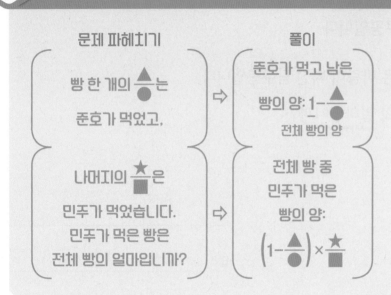

● 문제를 읽고 해결하기

빵 한 개의 $\frac{1}{5}$은 준호가 먹었고,

나머지의 $\frac{1}{3}$은 민주가 먹었습니다.

민주가 먹은 빵은 전체 빵의 얼마입니까?

풀이 (준호가 먹고 남은 빵의 양)$=1-\frac{1}{5}=\frac{4}{5}$

⇨ (전체 빵 중 민주가 먹은 빵의 양)

$=\frac{4}{5}\times\frac{1}{3}=\frac{4}{15}$

답 $\frac{4}{15}$

---

① 주스 한 병의 $\frac{6}{7}$은 우림이가 마셨고,

나머지의 $\frac{1}{2}$은 대호가 마셨습니다.

대호가 마신 주스는 전체 주스의 얼마입니까?

✎ 풀이 공간

(우림이가 마시고 남은 주스의 양)$=1-\boxed{}=\boxed{}$

⇨ (전체 주스 중 대호가 마신 주스의 양)$=\boxed{}\times\frac{1}{2}=\boxed{}$

답 : _____

② 은정이는 어제 소설책 한 권의 $\frac{1}{4}$을 읽었고,

오늘은 나머지의 $\frac{2}{9}$를 읽었습니다.

오늘 읽은 소설책 부분은 전체 소설책의 얼마입니까?

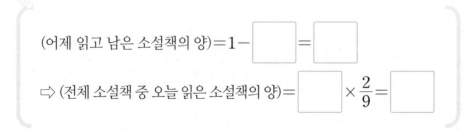

(어제 읽고 남은 소설책의 양)$=1-\boxed{}=\boxed{}$

⇨ (전체 소설책 중 오늘 읽은 소설책의 양)$=\boxed{}\times\frac{2}{9}=\boxed{}$

답 : _____

③ 성훈이는 전체 밭의 $\dfrac{3}{5}$에는 고추를 심었고,

나머지의 $\dfrac{2}{7}$에는 마늘을 심었습니다.

마늘을 심은 밭은 전체 밭의 얼마입니까?

답 : _____

④ 소진이는 어제 케이크 한 개의 $\dfrac{5}{9}$를 먹었고,

오늘은 나머지의 $\dfrac{5}{8}$를 먹었습니다.

오늘 먹은 케이크는 전체 케이크의 얼마입니까?

답 : _____

⑤ 예지는 가지고 있던 전체 실의 $\dfrac{3}{8}$은 경세에게 주었고,

나머지의 $\dfrac{7}{10}$은 미술 시간에 사용했습니다.

예지가 미술 시간에 사용한 실은 전체 실의 얼마입니까?

답 : _____

○ 계산해 보시오.

1 $\dfrac{5}{7} \times 3 =$

2 $\dfrac{3}{8} \times 6 =$

3 $3\dfrac{1}{4} \times 2 =$

4 $1\dfrac{3}{5} \times 4 =$

5 $9 \times \dfrac{5}{6} =$

6 $12 \times \dfrac{2}{9} =$

7 $7 \times 1\dfrac{2}{3} =$

8 $15 \times 1\dfrac{7}{10} =$

9 $\dfrac{4}{5} \times \dfrac{5}{9} =$

10 $\dfrac{7}{8} \times \dfrac{9}{14} =$

11 $1\dfrac{1}{6} \times 3\dfrac{1}{2} =$

12 $1\dfrac{3}{7} \times 2\dfrac{5}{8} =$

13 $\dfrac{2}{5} \times \dfrac{1}{6} \times 2\dfrac{2}{9} =$

14 $2\dfrac{3}{4} \times 3\dfrac{1}{5} \times \dfrac{5}{8} =$

15 L를 mL 단위로 나타내어 보시오.

$$1\frac{1}{2} \text{ L} = \boxed{} \text{ mL}$$

16 구슬 80개 중에서 $\frac{7}{40}$은 초록색 구슬입니다. 초록색 구슬은 몇 개입니까?

식 _____

답 _____

17 효리의 가방 무게는 $1\frac{4}{7}$ kg이고, 민지의 가방 무게는 효리의 가방 무게의 $1\frac{5}{9}$배입니다. 민지의 가방 무게는 몇 kg입니까?

식 _____

답 _____

18 수 카드 5장 중 2장을 사용하여 곱이 가장 작을 때의 단위분수의 곱셈식을 만들고 계산해 보시오.

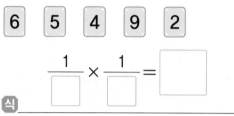

식 _____

19 병은이네 반 전체 학생의 $\frac{4}{9}$는 여학생입니다. 여학생 중에서 $\frac{2}{3}$는 사탕을 좋아하고, 그중 $\frac{6}{7}$은 포도 맛 사탕을 좋아합니다. 포도 맛 사탕을 좋아하는 여학생은 전체 학생의 얼마입니까?

식 _____

답 _____

20 성주는 어제 수박 한 통의 $\frac{2}{5}$를 먹었고, 오늘은 나머지의 $\frac{7}{9}$을 먹었습니다. 오늘 먹은 수박은 전체 수박의 얼마입니까?

(_____)

합동과 대칭

● 맞힌 개수와 걸린 시간을 작성해 보세요.

학습 내용	일 차	맞힌 개수	걸린 시간
⑧ 점대칭도형에서 둘레 구하기	6일 차	/12개	/12분
⑨ 점대칭도형에서 각의 크기 구하기			
⑩ 선대칭도형에서 대응점끼리 이은 선분의 길이 구하기	7일 차	/12개	/9분
⑪ 점대칭도형에서 대응점끼리 이은 선분의 길이 구하기			
평가 3. 합동과 대칭	8일 차	/13개	/17분

모양과 크기가 같아서 포개었을 때 완전히 겹치는 두 도형의 관계 → 합동

- 합동
- 모양과 크기가 같아서 포개었을 때 완전히 겹치는 두 도형을 **합동**이라고 합니다.
- 서로 합동인 두 도형을 포개었을 때
  - **대응점**: 완전히 겹치는 점
  - **대응변**: 완전히 겹치는 변
  - **대응각**: 완전히 겹치는 각

○ 왼쪽 도형과 서로 합동인 도형에 ◯표 하시오.

1

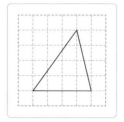

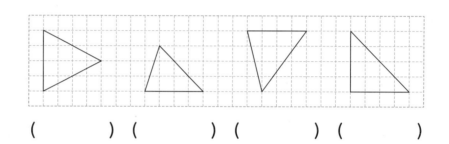

(   ) (   ) (   ) (   )

2

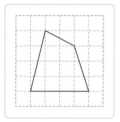

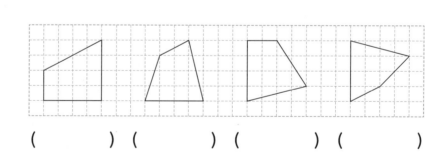

(   ) (   ) (   ) (   )

3

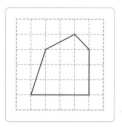

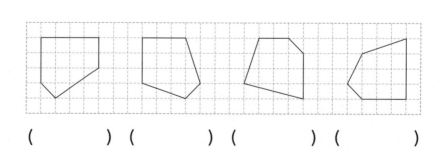

(   ) (   ) (   ) (   )

○ 두 삼각형은 서로 합동입니다. 물음에 답하시오.

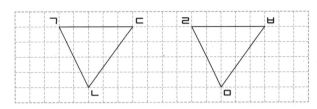

④ 대응점을 찾아 써 보시오.

점 ㄱ (   ), 점 ㄴ (   )

⑤ 대응변을 찾아 써 보시오.

변 ㄱㄴ (   ), 변 ㄴㄷ (   )

⑥ 대응각을 찾아 써 보시오.

각 ㄱㄴㄷ (   ), 각 ㄴㄷㄱ (   )

○ 두 사각형은 서로 합동입니다. 물음에 답하시오.

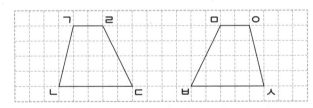

⑦ 대응점을 찾아 써 보시오.

점 ㄷ (   ), 점 ㄹ (   )

⑧ 대응변을 찾아 써 보시오.

변 ㄷㄹ (   ), 변 ㄹㄱ (   )

⑨ 대응각을 찾아 써 보시오.

각 ㄷㄹㄱ (   ), 각 ㄹㄱㄴ (   )

② 선대칭도형

한 **직선을 따라**
접었을 때
완전히 **겹치는 도형**
→ 선대칭도형

● 선대칭도형

• **선대칭도형**: 한 직선을 따라 접었을 때 완전히 겹치는 도형
  ⇨ 접은 직선을 **대칭축**이라고 합니다.

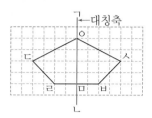

• 대칭축인 직선 ㄱㄴ을 따라 접었을 때
  ┌ 점 ㄷ의 대응점: 점 ㅅ
  ├ 변 ㄷㄹ의 대응변: 변 ㅅㅂ
  └ 각 ㄷㄹㅁ의 대응각: 각 ㅅㅂㅁ

  참고 도형의 모양에 따라 대칭축의 수는 달라집니다.

○ 선대칭도형을 모두 찾아 ◯표 하시오.

①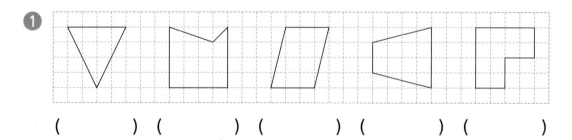

(   ) (   ) (   ) (   ) (   )

②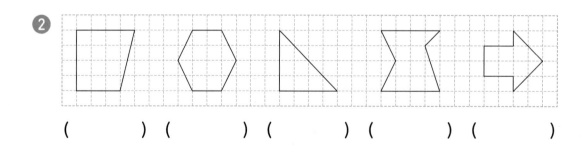

(   ) (   ) (   ) (   ) (   )

③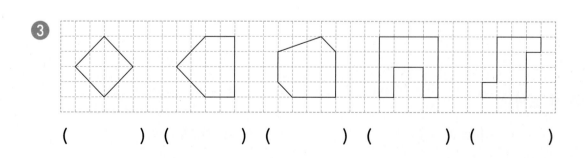

(   ) (   ) (   ) (   ) (   )

○ 직선 ㄱㄴ을 대칭축으로 하는 선대칭도형입니다. 물음에 답하시오.

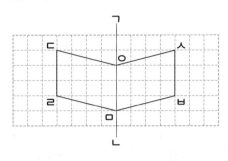

④ 대응점을 찾아 써 보시오.

점 ㄷ (   ), 점 ㄹ (   )

⑤ 대응변을 찾아 써 보시오.

변 ㄷㄹ (   ), 변 ㄹㅁ (   )

⑥ 대응각을 찾아 써 보시오.

각 ㄷㄹㅁ (   ), 각 ㅇㄷㄹ (   )

○ 직선 ㄱㄴ을 대칭축으로 하는 선대칭도형입니다. 물음에 답하시오.

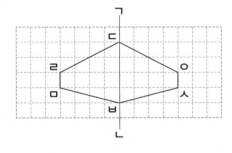

⑦ 대응점을 찾아 써 보시오.

점 ㄹ (   ), 점 ㅁ (   )

⑧ 대응변을 찾아 써 보시오.

변 ㅁㅂ (   ), 변 ㄹㄷ (   )

⑨ 대응각을 찾아 써 보시오.

각 ㄹㅁㅂ (   ), 각 ㅁㄹㄷ (   )

한 **점**을 **중심**으로
180° 돌렸을 때
처음 도형과 완전히
겹치는 도형
→ **점대칭도형**

- 점대칭도형
- **점대칭도형**: 한 도형을 어떤 점을 중심으로 180° 돌렸을 때 처음 도형과 완전히 겹치는 도형
  ⇨ 어떤 점을 **대칭의 중심**이라고 합니다.

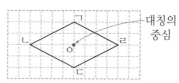

- 대칭의 중심인 점 ㅇ을 중심으로 180° 돌렸을 때
  - 점 ㄱ의 대응점: 점 ㄷ
  - 변 ㄴㄷ의 대응변: 변 ㄹㄱ
  - 각 ㄱㄴㄷ의 대응각: 각 ㄷㄹㄱ

참고 대칭의 중심은 도형의 모양에 상관없이 항상 1개입니다.

○ 점대칭도형을 모두 찾아 ◯표 하시오.

①
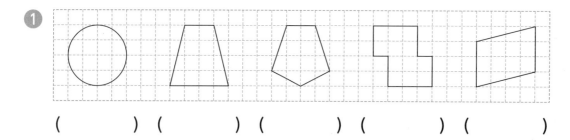

(   ) (   ) (   ) (   ) (   )

②
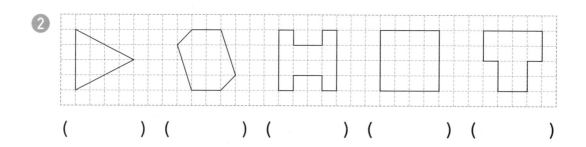

(   ) (   ) (   ) (   ) (   )

③
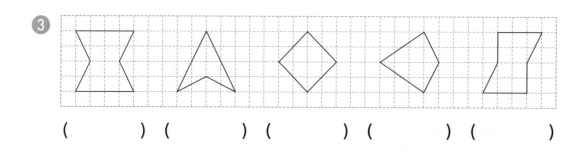

(   ) (   ) (   ) (   ) (   )

○ 점 ㅇ을 대칭의 중심으로 하는 점대칭도형입니다. 물음에 답하시오.

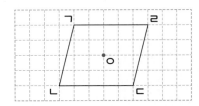

④ 대응점을 찾아 써 보시오.

점 ㄱ (   ), 점 ㄴ (   )

⑤ 대응변을 찾아 써 보시오.

변 ㄱㄴ (   ), 변 ㄴㄷ (   )

⑥ 대응각을 찾아 써 보시오.

각 ㄱㄴㄷ (   ), 각 ㄴㄷㄹ (   )

○ 점 ㅇ을 대칭의 중심으로 하는 점대칭도형입니다. 물음에 답하시오.

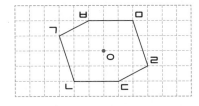

⑦ 대응점을 찾아 써 보시오.

점 ㄴ (   ), 점 ㄷ (   )

⑧ 대응변을 찾아 써 보시오.

변 ㄴㄷ (   ), 변 ㄷㄹ (   )

⑨ 대응각을 찾아 써 보시오.

각 ㄴㄷㄹ (   ), 각 ㄷㄹㅁ (   )

- 두 삼각형이 서로 합동일 때, ☐의 값과
  삼각형 ㄱㄴㄷ의 둘레 구하기

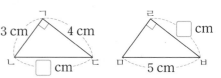

대응변의 길이가 서로 같으므로
(변 ㄴㄷ)＝(변 ㅁㅂ)＝5 cm,
(변 ㅂㄹ)＝(변 ㄷㄱ)＝4 cm
⇨ (삼각형 ㄱㄴㄷ의 둘레)＝3＋5＋4＝12(cm)

두 도형이 서로 합동일 때
각각의 **대응변의 길이가 서로 같아!**

○ 두 도형은 서로 합동입니다. ☐ 안에 알맞은 수를 써넣고, 주어진 도형의 둘레는 몇 cm인지 구해 보시오.

1

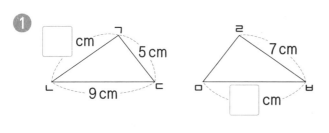

삼각형 ㄱㄴㄷ의 둘레 (   )

4

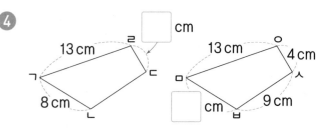

사각형 ㅁㅂㅅㅇ의 둘레 (   )

2

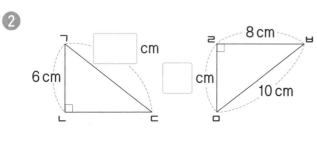

삼각형 ㄹㅁㅂ의 둘레 (   )

5

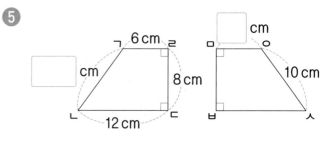

사각형 ㄱㄴㄷㄹ의 둘레 (   )

3

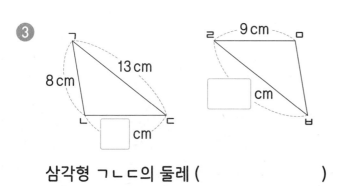

삼각형 ㄱㄴㄷ의 둘레 (   )

6

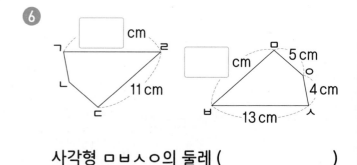

사각형 ㅁㅂㅅㅇ의 둘레 (   )

5 두 도형이 서로 합동일 때 각의 크기 구하기

두 도형이 서로 합동일 때

각각의 **대응각의 크기가**

서로 같아!

• 두 사각형이 서로 합동일 때, ☐의 값과

각 ㄱㄴㄷ의 크기 구하기

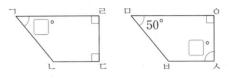

대응각의 크기가 서로 같으므로

(각 ㄹㄱㄴ)=(각 ㅇㅁㅂ)=50°,

(각 ㅂㅅㅇ)=(각 ㄴㄷㄹ)=90°

⇨ (각 ㄱㄴㄷ)=360°−50°−90°−90°=130°

└→ 사각형 ㄱㄴㄷㄹ의 네 각의 크기의 합

○ 두 도형은 서로 합동입니다. ☐ 안에 알맞은 수를 써넣고, 주어진 각의 크기를 구해 보시오.

7

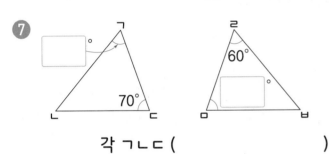

각 ㄱㄴㄷ (   )

10

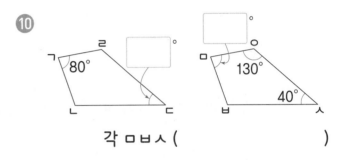

각 ㅁㅂㅅ (   )

8

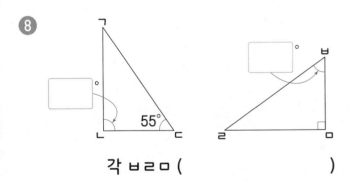

각 ㅂㄹㅁ (   )

11

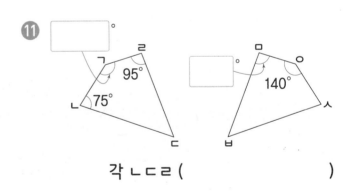

각 ㄴㄷㄹ (   )

9

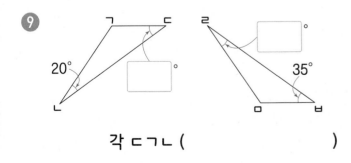

각 ㄷㄱㄴ (   )

12

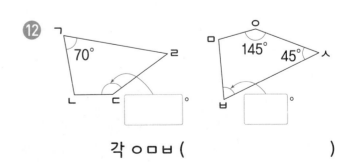

각 ㅇㅁㅂ (   )

선대칭도형에서
각각의 **대응변의 길이가 서로 같아!**

즉, 대칭축을 중심으로 하여
도형의 양쪽의 모양이 같아!

● 직선 ㄱㄴ을 대칭축으로 하는 선대칭도형에서
▢의 값과 도형의 둘레 구하기

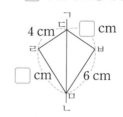

대응변의 길이가 서로 같으므로
(변 ㄹㅁ)=(변 ㅂㅁ)=6 cm,
(변 ㄷㅂ)=(변 ㄷㄹ)=4 cm
⇨ (도형의 둘레)
  =(한쪽 모양의 길이의 합)×2
    └● 대칭축을 중심으로
      양쪽 모양이 같습니다.
  =(4+6)×2=20(cm)

○ 직선 ㄱㄴ을 대칭축으로 하는 선대칭도형입니다.
▢ 안에 알맞은 수를 써넣고, 도형의 둘레는 몇 cm인지 구해 보시오.

❶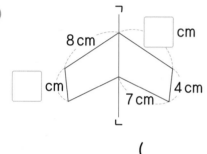

( )

❹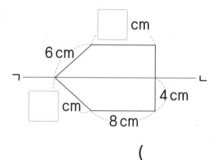

( )

❷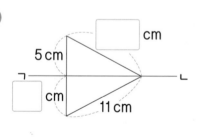

( )

❺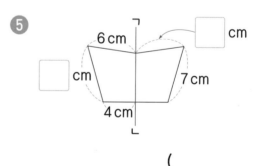

( )

❸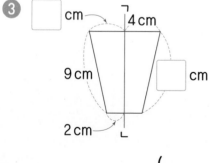

( )

❻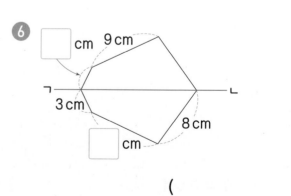

( )

7 선대칭도형에서 각의 크기 구하기

선대칭도형에서

각각의 **대응각의 크기가**

서로 같아!

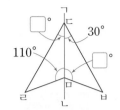

● 직선 ㄱㄴ을 대칭축으로 하는 선대칭도형에서

☐의 값과 각 ㄷㄹㅁ의 크기 구하기

대응각의 크기가 서로 같으므로

(각 ㄹㄷㅁ)=(각 ㅂㄷㅁ)=30°,

(각 ㅂㅁㄷ)=(각 ㄹㅁㄷ)=110°

⇨ (각 ㄷㄹㅁ)

　　=180°−30°−110°=40°

　　└ 삼각형 ㄷㄹㅁ의 세 각의 크기의 합

참고 선대칭도형에서 대응점끼리 이은 선분은

　　　대칭축과 수직으로 만납니다.

○ 직선 ㄱㄴ을 대칭축으로 하는 선대칭도형입니다.

　☐ 안에 알맞은 수를 써넣고, 주어진 각의 크기를 구해 보시오.

7

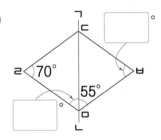

각 ㅂㄷㅁ (　　　　　　　)

10

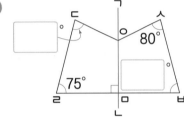

각 ㅅㅇㅁ (　　　　　　　)

8

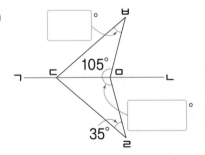

각 ㅁㄷㄹ (　　　　　　　)

11

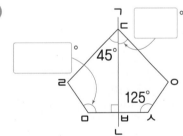

각 ㄷㄹㅁ (　　　　　　　)

9

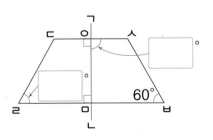

각 ㅇㄷㄹ (　　　　　　　)

12

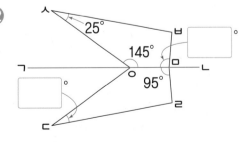

각 ㅁㅂㅅ (　　　　　　　)

점대칭도형에서
각각의 **대응변의 길이가**
서로 같아!

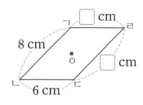
○ 점 ㅇ을 대칭의 중심으로 하는 점대칭도형입니다.
☐ 안에 알맞은 수를 써넣고, 도형의 둘레는 몇 cm인지 구해 보시오.

❶

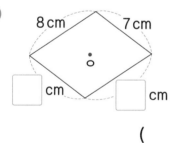

(   )

❹

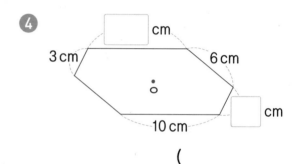

(   )

❷

(   )

❺

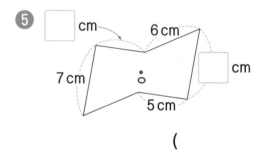

(   )

❸

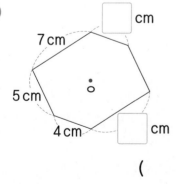

(   )

❻

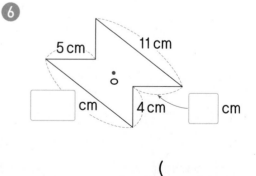

(   )

9 점대칭도형에서 각의 크기 구하기

점대칭도형에서
각각의 **대응각의 크기가**
서로 같아!

● 점 ㅇ을 대칭의 중심으로 하는 점대칭도형에서

☐의 값과 각 ㄹㄷㄱ의 크기 구하기

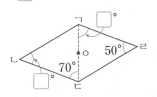

대응각의 크기가 서로 같으므로
(각 ㄱㄴㄷ)=(각 ㄷㄹㄱ)=50°,
(각 ㄹㄱㄷ)=(각 ㄴㄷㄱ)=70°
⇨ (각 ㄹㄷㄱ)
   =180°−70°−50°=60°
   └● 삼각형 ㄷㄹㄱ의
      세 각의 크기의 합

○ 점 ㅇ을 대칭의 중심으로 하는 점대칭도형입니다.

☐ 안에 알맞은 수를 써넣고, 주어진 각의 크기를 구해 보시오.

7

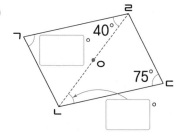

각 ㄱㄴㄹ ( )

10

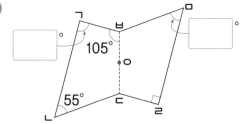

각 ㄴㄷㅂ ( )

8

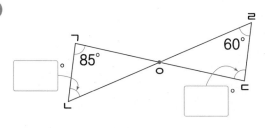

각 ㄹㅇㄷ ( )

11

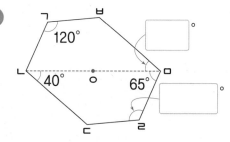

각 ㄴㄷㄹ ( )

9

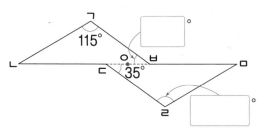

각 ㄱㄴㄷ ( )

12

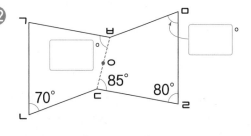

각 ㅁㅂㄷ ( )

선대칭도형에서 대응점끼리 이은 선분의 길이 구하기

선대칭도형에서 **대칭축**은 **대응점**끼리 이은 **선분을** 둘로 **똑같이 나눠!**

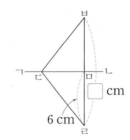
○ 직선 ㄱㄴ을 대칭축으로 하는 선대칭도형입니다. ☐ 안에 알맞은 수를 써넣으시오.

1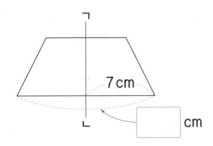

7 cm

☐ cm

4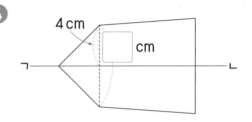

4 cm

☐ cm

2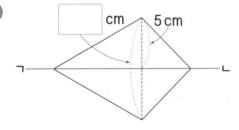

☐ cm   5 cm

5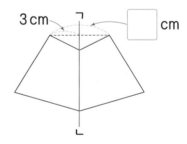

3 cm   ☐ cm

3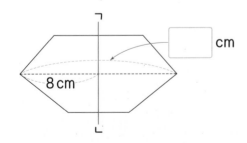

8 cm

☐ cm

6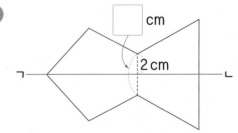

☐ cm

2 cm

11 점대칭도형에서 대응점끼리 이은 선분의 길이 구하기

점대칭도형에서 **대칭의 중심**은
대응점끼리 이은 **선분**을
둘로 **똑같이 나눠!**

● 점 ㅇ을 대칭의 중심으로 하는 점대칭도형에서
  ▢의 값 구하기

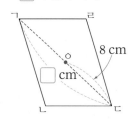

대칭의 중심은 대응점끼리 이은
선분을 둘로 똑같이 나누므로
각각의 대응점에서 대칭의 중심까
지의 거리가 서로 같습니다.
(선분 ㄱㅇ)=(선분 ㄷㅇ)=8 cm
➡ ▢=8+8=16(cm)

◎ 점 ㅇ을 대칭의 중심으로 하는 점대칭도형입니다. ▢ 안에 알맞은 수를 써넣으시오.

7

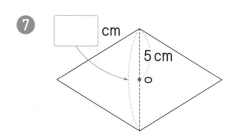

5 cm

10

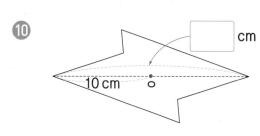

10 cm

8

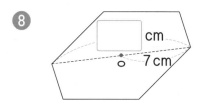

7 cm

11

4 cm

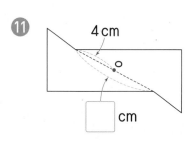

9

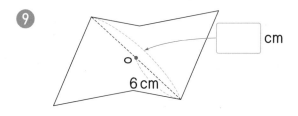

6 cm

12

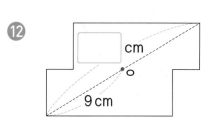

9 cm

○ 왼쪽 도형과 서로 합동인 도형에 ◯표 하시오.

1

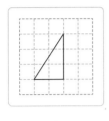 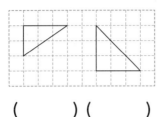

(   ) (   )

2

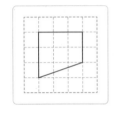 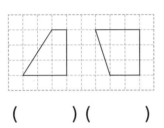

(   ) (   )

3 두 도형은 서로 합동입니다. 대응점, 대응변, 대응각을 각각 찾아 써 보시오.

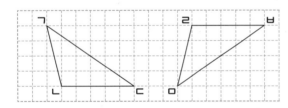

점 ㄴ의 대응점 (   )
변 ㄷㄱ의 대응변 (   )
각 ㄴㄱㄷ의 대응각 (   )

4 선대칭도형에 ◯표 하시오.

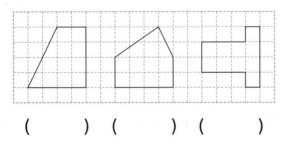

(   ) (   ) (   )

5 직선 ㄱㄴ을 대칭축으로 하는 선대칭도형입니다. 대응점, 대응변, 대응각을 각각 찾아 써 보시오.

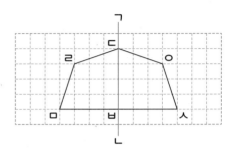

점 ㄹ의 대응점 (   )
변 ㅁㅂ의 대응변 (   )
각 ㄷㅇㅅ의 대응각 (   )

6 점대칭도형에 ◯표 하시오.

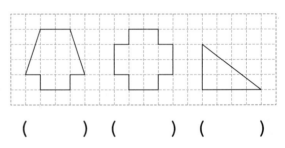

(   ) (   ) (   )

7 점 ㅇ을 대칭의 중심으로 하는 점대칭도형입니다. 대응점, 대응변, 대응각을 각각 찾아 써 보시오.

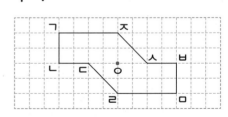

점 ㄷ의 대응점 (   )
변 ㄹㅁ의 대응변 (   )
각 ㅁㅂㅅ의 대응각 (   )

8 두 사각형은 서로 합동입니다. ☐ 안에 알맞은 수를 써넣고, 사각형 ㅁㅂㅅㅇ의 둘레는 몇 cm인지 구해 보시오.

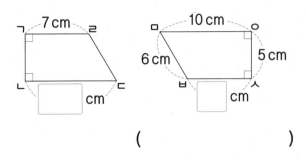

(   )

9 두 삼각형은 서로 합동입니다. ☐ 안에 알맞은 수를 써넣고, 각 ㄱㄴㄷ의 크기를 구해 보시오.

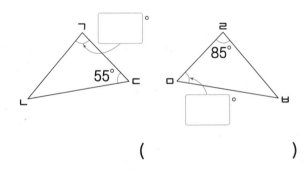

(   )

10 직선 ㄱㄴ을 대칭축으로 하는 선대칭도형입니다. ☐ 안에 알맞은 수를 써넣고, 도형의 둘레는 몇 cm인지 구해 보시오.

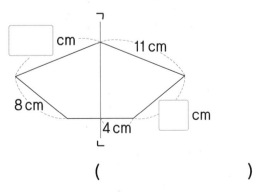

(   )

11 직선 ㄱㄴ을 대칭축으로 하는 선대칭도형입니다. ☐ 안에 알맞은 수를 써넣고, 각 ㅂㅁㅇ의 크기를 구해 보시오.

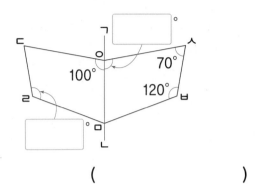

(   )

12 점 ㅇ을 대칭의 중심으로 하는 점대칭도형입니다. ☐ 안에 알맞은 수를 써넣고, 도형의 둘레는 몇 cm인지 구해 보시오.

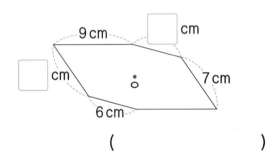

(   )

13 점 ㅇ을 대칭의 중심으로 하는 점대칭도형입니다. ☐ 안에 알맞은 수를 써넣고, 각 ㄱㄴㅂ의 크기를 구해 보시오.

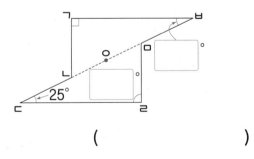

(   )

소수의 곱셈

◆ 맞힌 개수와 걸린 시간을 작성해 보세요.

$$0.\blacksquare \times \blacktriangle$$

■×▲의 곱에
0.■의 소수점의 위치와
같게 소수점을 찍어!

● 0.5×7의 계산

$$
\begin{array}{r}
5 \\
\times\ 7 \\
\hline
3\ 5
\end{array}
\quad\Rightarrow\quad
\begin{array}{r}
0.5 \\
\times\ \ 7 \\
\hline
3.5
\end{array}
$$

자연수의 곱셈과 같은   0.5의 소수점 위치와 같게
방법으로 계산합니다.   소수점을 찍습니다.

$$5 \times 7 = 35$$
$$\frac{1}{10}\text{배} \downarrow \qquad \downarrow \frac{1}{10}\text{배}$$
$$0.5 \times 7 = 3.5$$

○ 계산해 보시오.

①
$$
\begin{array}{r}
0.3 \\
\times\ \ \ 4 \\
\hline
\end{array}
$$

⑤
$$
\begin{array}{r}
0.2 \\
\times\ 1\ 9 \\
\hline
\end{array}
$$

⑨
$$
\begin{array}{r}
0.3\ 6 \\
\times\ \ \ 1\ 4 \\
\hline
\end{array}
$$

②
$$
\begin{array}{r}
0.6 \\
\times\ \ \ 8 \\
\hline
\end{array}
$$

⑥
$$
\begin{array}{r}
0.5 \\
\times\ 2\ 2 \\
\hline
\end{array}
$$

⑩
$$
\begin{array}{r}
0.4\ 5 \\
\times\ \ \ 1\ 8 \\
\hline
\end{array}
$$

③
$$
\begin{array}{r}
0.7 \\
\times\ \ \ 3 \\
\hline
\end{array}
$$

⑦
$$
\begin{array}{r}
0.1\ 3 \\
\times\ \ \ \ 5 \\
\hline
\end{array}
$$

⑪
$$
\begin{array}{r}
0.7\ 4 \\
\times\ \ \ 2\ 3 \\
\hline
\end{array}
$$

④
$$
\begin{array}{r}
0.9 \\
\times\ \ \ 6 \\
\hline
\end{array}
$$

⑧
$$
\begin{array}{r}
0.2\ 8 \\
\times\ \ \ \ 7 \\
\hline
\end{array}
$$

⑫
$$
\begin{array}{r}
0.8\ 1 \\
\times\ \ \ 3\ 6 \\
\hline
\end{array}
$$

⑬ $0.2 \times 3 =$

⑭ $0.4 \times 6 =$

⑮ $0.5 \times 4 =$

⑯ $0.6 \times 7 =$

⑰ $0.7 \times 9 =$

⑱ $0.8 \times 8 =$

⑲ $0.3 \times 12 =$

⑳ $0.5 \times 17 =$

㉑ $0.6 \times 25 =$

㉒ $0.9 \times 31 =$

㉓ $0.11 \times 3 =$

㉔ $0.25 \times 8 =$

㉕ $0.37 \times 2 =$

㉖ $0.46 \times 7 =$

㉗ $0.58 \times 6 =$

㉘ $0.62 \times 4 =$

㉙ $0.79 \times 5 =$

㉚ $0.21 \times 18 =$

㉛ $0.47 \times 13 =$

㉜ $0.66 \times 24 =$

㉝ $0.92 \times 39 =$

$$■.●★×▲$$

■●★×▲의 **곱**에
■.●★의 **소수점의 위치와**
같게 소수점을 찍어!

● 1.32×4의 계산

```
  1 3 2          1.3 2
×     4    ⇨   ×     4
  5 2 8          5.2 8
```

자연수의 곱셈과 같은   1.32의 소수점 위치와
방법으로 계산합니다.   같게 소수점을 찍습니다.

$$132 \times 4 = 528$$
$$\frac{1}{100}\text{배} \downarrow \qquad \downarrow \frac{1}{100}\text{배}$$
$$1.32 \times 4 = 5.28$$

○ 계산해 보시오.

①
```
    1.2
×     3
```

②
```
    2.6
×     7
```

③
```
    4.3
×     5
```

④
```
    6.8
×     8
```

⑤
```
    1.1
×   1 3
```

⑥
```
    3.4
×   2 5
```

⑦
```
    1.3 9
×       2
```

⑧
```
    2.5 3
×       6
```

⑨
```
    2.9 6
×     1 6
```

⑩
```
    5.7 2
×     1 9
```

⑪
```
    6.1 7
×     2 0
```

⑫
```
    7.2 5
×     3 4
```

⑬ $1.5 \times 2 =$

⑭ $2.9 \times 5 =$

⑮ $3.4 \times 9 =$

⑯ $5.8 \times 3 =$

⑰ $7.2 \times 7 =$

⑱ $9.1 \times 6 =$

⑲ $1.3 \times 14 =$

⑳ $2.7 \times 13 =$

㉑ $4.2 \times 26 =$

㉒ $6.6 \times 37 =$

㉓ $1.61 \times 2 =$

㉔ $2.29 \times 5 =$

㉕ $3.58 \times 4 =$

㉖ $4.73 \times 9 =$

㉗ $5.46 \times 5 =$

㉘ $6.12 \times 8 =$

㉙ $7.85 \times 3 =$

㉚ $1.24 \times 17 =$

㉛ $3.83 \times 19 =$

㉜ $4.04 \times 24 =$

㉝ $5.68 \times 32 =$

▲ × 0.■

▲ × ■의 곱에
0.■의 소수점의 위치와
같게 소수점을 찍어!

• 2 × 0.8의 계산

$$\begin{array}{r} 2 \\ \times\ 8 \\ \hline 1\ 6 \end{array} \Rightarrow \begin{array}{r} 2 \\ \times\ 0.8 \\ \hline 1.6 \end{array}$$

자연수의 곱셈과 같은   0.8의 소수점 위치와
방법으로 계산합니다.   같게 소수점을 찍습니다.

$$2 \times 8 = 16$$
$$\frac{1}{10}배 \downarrow \qquad \downarrow \frac{1}{10}배$$
$$2 \times 0.8 = 1.6$$

참고 자연수에 1보다 작은 소수를 곱하면 계산
결과는 자연수보다 작아집니다.
$$2 \times 0.8 = 1.6 < 2$$

○ 계산해 보시오.

①
$$\begin{array}{r} 6 \\ \times\ 0.2 \\ \hline \end{array}$$

②
$$\begin{array}{r} 9 \\ \times\ 0.3 \\ \hline \end{array}$$

③
$$\begin{array}{r} 5 \\ \times\ 0.5 \\ \hline \end{array}$$

④
$$\begin{array}{r} 4 \\ \times\ 0.9 \\ \hline \end{array}$$

⑤
$$\begin{array}{r} 1\ 8 \\ \times\ 0.4 \\ \hline \end{array}$$

⑥
$$\begin{array}{r} 2\ 1 \\ \times\ 0.6 \\ \hline \end{array}$$

⑦
$$\begin{array}{r} 5 \\ \times\ 0.1\ 2 \\ \hline \end{array}$$

⑧
$$\begin{array}{r} 9 \\ \times\ 0.3\ 9 \\ \hline \end{array}$$

⑨
$$\begin{array}{r} 1\ 7 \\ \times\ 0.2\ 8 \\ \hline \end{array}$$

⑩
$$\begin{array}{r} 1\ 6 \\ \times\ 0.4\ 6 \\ \hline \end{array}$$

⑪
$$\begin{array}{r} 2\ 2 \\ \times\ 0.6\ 7 \\ \hline \end{array}$$

⑫
$$\begin{array}{r} 3\ 1 \\ \times\ 0.7\ 3 \\ \hline \end{array}$$

⑬ $4 \times 0.2 =$

⑳ $15 \times 0.5 =$

㉗ $2 \times 0.56 =$

⑭ $8 \times 0.3 =$

㉑ $23 \times 0.6 =$

㉘ $9 \times 0.63 =$

⑮ $7 \times 0.4 =$

㉒ $39 \times 0.8 =$

㉙ $7 \times 0.77 =$

⑯ $9 \times 0.5 =$

㉓ $3 \times 0.13 =$

㉚ $19 \times 0.18 =$

⑰ $2 \times 0.7 =$

㉔ $4 \times 0.14 =$

㉛ $14 \times 0.35 =$

⑱ $5 \times 0.8 =$

㉕ $6 \times 0.29 =$

㉜ $27 \times 0.41 =$

⑲ $16 \times 0.3 =$

㉖ $5 \times 0.31 =$

㉝ $36 \times 0.92 =$

(자연수) × (1보다 큰 소수)

▲ × ■.●★

▲×■●★의 곱에
■.●★의 소수점의 위치와
같게 소수점을 찍어!

○ 계산해 보시오.

①
$$\begin{array}{r} 4 \\ \times\ 1.5 \\ \hline \end{array}$$

②
$$\begin{array}{r} 6 \\ \times\ 3.2 \\ \hline \end{array}$$

③
$$\begin{array}{r} 2 \\ \times\ 5.3 \\ \hline \end{array}$$

④
$$\begin{array}{r} 7 \\ \times\ 8.6 \\ \hline \end{array}$$

⑤
$$\begin{array}{r} 1\ 3 \\ \times\ 2.4 \\ \hline \end{array}$$

⑥
$$\begin{array}{r} 2\ 1 \\ \times\ 6.7 \\ \hline \end{array}$$

⑦
$$\begin{array}{r} 3 \\ \times\ 1.7\ 6 \\ \hline \end{array}$$

⑧
$$\begin{array}{r} 5 \\ \times\ 4.2\ 5 \\ \hline \end{array}$$

⑨
$$\begin{array}{r} 1\ 4 \\ \times\ 3.6\ 1 \\ \hline \end{array}$$

⑩
$$\begin{array}{r} 1\ 8 \\ \times\ 5.4\ 2 \\ \hline \end{array}$$

⑪
$$\begin{array}{r} 2\ 9 \\ \times\ 7.1\ 9 \\ \hline \end{array}$$

⑫
$$\begin{array}{r} 3\ 6 \\ \times\ 9.0\ 4 \\ \hline \end{array}$$

⑬ $6 \times 1.4 =$

⑭ $9 \times 2.6 =$

⑮ $2 \times 4.9 =$

⑯ $7 \times 5.5 =$

⑰ $4 \times 6.3 =$

⑱ $8 \times 9.2 =$

⑲ $15 \times 1.8 =$

⑳ $17 \times 3.3 =$

㉑ $20 \times 5.4 =$

㉒ $34 \times 6.2 =$

㉓ $9 \times 1.17 =$

㉔ $5 \times 2.89 =$

㉕ $3 \times 3.45 =$

㉖ $8 \times 5.09 =$

㉗ $4 \times 6.24 =$

㉘ $9 \times 7.71 =$

㉙ $2 \times 8.95 =$

㉚ $20 \times 1.29 =$

㉛ $16 \times 4.58 =$

㉜ $22 \times 5.31 =$

㉝ $35 \times 7.46 =$

$$0.\blacktriangle \times 0.\blacksquare$$

▲×■의 곱에

0.▲와 0.■의
소수점 아래 자리 수의
합만큼 소수점을 찍어!

● 0.9×0.3의 계산

$$\begin{array}{r} 9 \\ \times\ 3 \\ \hline 2\ 7 \end{array} \Rightarrow \begin{array}{r} 0.9 \rightarrow \text{소수 한 자리 수} \\ \times\ 0.3 \rightarrow \text{소수 한 자리 수} \\ \hline 0.2\ 7 \rightarrow \text{소수 두 자리 수} \end{array}$$

$$9 \times 3 = 27$$
$$\tfrac{1}{10}\text{배} \quad \tfrac{1}{10}\text{배}\ \tfrac{1}{100}\text{배}$$
$$0.9 \times 0.3 = 0.27$$

○ 계산해 보시오.

① $\begin{array}{r} 0.1 \\ \times\ 0.4 \\ \hline \end{array}$

② $\begin{array}{r} 0.3 \\ \times\ 0.2 \\ \hline \end{array}$

③ $\begin{array}{r} 0.7 \\ \times\ 0.5 \\ \hline \end{array}$

④ $\begin{array}{r} 0.9 \\ \times\ 0.8 \\ \hline \end{array}$

⑤ $\begin{array}{r} 0.6 \\ \times\ 0.19 \\ \hline \end{array}$

⑥ $\begin{array}{r} 0.4 \\ \times\ 0.65 \\ \hline \end{array}$

⑦ $\begin{array}{r} 0.8 \\ \times\ 0.42 \\ \hline \end{array}$

⑧ $\begin{array}{r} 0.16 \\ \times\ 0.7 \\ \hline \end{array}$

⑨ $\begin{array}{r} 0.54 \\ \times\ 0.3 \\ \hline \end{array}$

⑩ $\begin{array}{r} 0.71 \\ \times\ 0.8 \\ \hline \end{array}$

⑪ $\begin{array}{r} 0.25 \\ \times\ 0.83 \\ \hline \end{array}$

⑫ $\begin{array}{r} 0.49 \\ \times\ 0.57 \\ \hline \end{array}$

⑬ $0.2 \times 0.7 =$

⑳ $0.3 \times 0.21 =$

㉗ $0.58 \times 0.7 =$

⑭ $0.3 \times 0.5 =$

㉑ $0.5 \times 0.17 =$

㉘ $0.69 \times 0.6 =$

⑮ $0.4 \times 0.8 =$

㉒ $0.6 \times 0.43 =$

㉙ $0.84 \times 0.8 =$

⑯ $0.5 \times 0.6 =$

㉓ $0.8 \times 0.14 =$

㉚ $0.15 \times 0.9 =$

⑰ $0.6 \times 0.2 =$

㉔ $0.9 \times 0.26 =$

㉛ $0.36 \times 0.81 =$

⑱ $0.7 \times 0.4 =$

㉕ $0.24 \times 0.4 =$

㉜ $0.73 \times 0.45 =$

⑲ $0.2 \times 0.38 =$

㉖ $0.48 \times 0.5 =$

㉝ $0.92 \times 0.63 =$

1보다 큰 소수끼리의 곱셈

■.★ × ▲.●♥

■★ × ▲●♥의 곱에

■.★과 ▲.●♥의

소수점 아래 자리 수의

합 만큼 소수점을 찍어!

● 2.3 × 1.02의 계산

$$
\begin{array}{r}
2\ 3 \\
\times\ 1\ 0\ 2 \\
\hline
2\ 3\ 4\ 6
\end{array}
\quad\Rightarrow\quad
\begin{array}{r}
2.3 \\
\times\ 1.0\ 2 \\
\hline
2.3\ 4\ 6
\end{array}
$$

2.3 → 소수 한 자리 수
× 1.02 → 소수 두 자리 수
2.346 → 소수 세 자리 수

$$23 \times 102 = 2346$$

$\frac{1}{10}$배 $\quad\frac{1}{100}$배 $\quad\frac{1}{1000}$배

$$2.3 \times 1.02 = 2.346$$

○ 계산해 보시오.

①
$$
\begin{array}{r}
1.6 \\
\times\ 3.2 \\
\hline
\end{array}
$$

②
$$
\begin{array}{r}
3.4 \\
\times\ 2.9 \\
\hline
\end{array}
$$

③
$$
\begin{array}{r}
6.2 \\
\times\ 2.5 \\
\hline
\end{array}
$$

④
$$
\begin{array}{r}
8.5 \\
\times\ 8.1 \\
\hline
\end{array}
$$

⑤
$$
\begin{array}{r}
1.3 \\
\times\ 2.0\ 4 \\
\hline
\end{array}
$$

⑥
$$
\begin{array}{r}
4.7 \\
\times\ 3.1\ 5 \\
\hline
\end{array}
$$

⑦
$$
\begin{array}{r}
7.6 \\
\times\ 1.2\ 6 \\
\hline
\end{array}
$$

⑧
$$
\begin{array}{r}
2.3\ 1 \\
\times\ \ \ 5.7 \\
\hline
\end{array}
$$

⑨
$$
\begin{array}{r}
5.5\ 2 \\
\times\ \ \ 1.8 \\
\hline
\end{array}
$$

⑩
$$
\begin{array}{r}
9.0\ 9 \\
\times\ \ \ 2.6 \\
\hline
\end{array}
$$

⑪
$$
\begin{array}{r}
1.4\ 5 \\
\times\ 1.5\ 4 \\
\hline
\end{array}
$$

⑫
$$
\begin{array}{r}
4.9\ 3 \\
\times\ 3.8\ 1 \\
\hline
\end{array}
$$

⑬ $2.9 \times 3.1 =$

⑳ $3.7 \times 1.06 =$

㉗ $5.75 \times 2.5 =$

⑭ $4.8 \times 5.6 =$

㉑ $5.6 \times 9.45 =$

㉘ $6.24 \times 4.6 =$

⑮ $5.1 \times 1.7 =$

㉒ $6.5 \times 3.19 =$

㉙ $8.35 \times 5.3 =$

⑯ $6.3 \times 4.5 =$

㉓ $7.1 \times 7.32 =$

㉚ $9.24 \times 1.8 =$

⑰ $7.2 \times 1.6 =$

㉔ $8.3 \times 6.74 =$

㉛ $3.56 \times 4.87 =$

⑱ $9.6 \times 2.4 =$

㉕ $3.37 \times 1.5 =$

㉜ $7.65 \times 2.43 =$

⑲ $1.4 \times 5.28 =$

㉖ $4.42 \times 8.9 =$

㉝ $9.38 \times 6.14 =$

두 소수를 먼저 곱한 후 나머지 소수를 곱해!

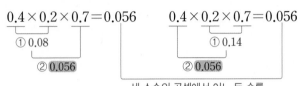

• 0.4×0.2×0.7의 계산

0.4×0.2×0.7=0.056
① 0.08
② 0.056

0.4×0.2×0.7=0.056
① 0.14
② 0.056

세 소수의 곱셈에서 어느 두 수를 먼저 곱해도 계산 결과는 같습니다.

○ 계산해 보시오.

① 0.2×0.2×0.6=

② 0.4×0.7×0.9=

③ 0.6×0.3×0.7=

④ 0.8×0.4×0.5=

⑤ 0.9×0.6×0.8=

⑥ 0.5×0.3×0.46=

⑦ 0.8×0.7×0.97=

⑧ 0.3×0.27×0.4=

⑨ 0.4×0.82×0.6=

⑩ 0.54×0.5×0.9=

⑪ $1.4 \times 1.5 \times 1.3 =$

⑫ $2.5 \times 1.6 \times 1.2 =$

⑬ $2.3 \times 2.2 \times 1.7 =$

⑭ $2.8 \times 1.3 \times 2.1 =$

⑮ $3.7 \times 1.4 \times 1.8 =$

⑯ $3.9 \times 2.6 \times 1.2 =$

⑰ $4.2 \times 1.1 \times 2.7 =$

⑱ $1.6 \times 1.6 \times 1.16 =$

⑲ $2.5 \times 2.1 \times 2.68 =$

⑳ $1.9 \times 1.25 \times 2.2 =$

㉑ $2.7 \times 1.44 \times 2.9 =$

㉒ $1.8 \times 2.78 \times 3.1 =$

㉓ $1.39 \times 3.5 \times 1.7 =$

㉔ $2.86 \times 2.4 \times 2.8 =$

곱하는 ÷ **10, 100, 1000**의
0의 개수만큼
곱의 **소수점을 오른쪽**으로 옮겨!

● 0.26 × 10, 100, 1000의 계산
곱하는 수의 0이 하나씩 늘어날 때마다 곱의 소수점이 오른쪽으로 한 자리씩 옮겨집니다.

$$0.26 \times 10 = 2.6$$
$$0.26 \times 100 = 26$$
$$0.26 \times 1000 = 260$$

참고 곱의 소수점을 옮길 자리가 없으면 오른쪽으로 0을 채워 씁니다.

○ 계산해 보시오.

① $0.5 \times 10 =$
$0.5 \times 100 =$
$0.5 \times 1000 =$

② $0.9 \times 10 =$
$0.9 \times 100 =$
$0.9 \times 1000 =$

③ $0.16 \times 10 =$
$0.16 \times 100 =$
$0.16 \times 1000 =$

④ $0.72 \times 10 =$
$0.72 \times 100 =$
$0.72 \times 1000 =$

⑤ $0.308 \times 10 =$
$0.308 \times 100 =$
$0.308 \times 1000 =$

⑥ $0.894 \times 10 =$
$0.894 \times 100 =$
$0.894 \times 1000 =$

⑦ $3.2 \times 10 =$
$3.2 \times 100 =$
$3.2 \times 1000 =$

⑧ $6.1 \times 10 =$
$6.1 \times 100 =$
$6.1 \times 1000 =$

⑨ $1.52 \times 10 =$
$1.52 \times 100 =$
$1.52 \times 1000 =$

⑩ $4.03 \times 10 =$
$4.03 \times 100 =$
$4.03 \times 1000 =$

⑪ $2.695 \times 10 =$
$2.695 \times 100 =$
$2.695 \times 1000 =$

⑫ $5.147 \times 10 =$
$5.147 \times 100 =$
$5.147 \times 1000 =$

9 (자연수) × 0.1, 0.01, 0.001에서 곱의 소수점 위치

●35 × 0.1, 0.01, 0.001의 계산
곱하는 소수의 소수점 아래 자리 수가
하나씩 늘어날 때마다 곱의 소수점이
왼쪽으로 한 자리씩 옮겨집니다.

$$35 \times 0.1 = 3.5$$
$$35 \times 0.01 = 0.35$$
$$35 \times 0.001 = 0.035$$

참고 곱의 소수점을 옮길 자리가 없으면
왼쪽으로 0을 채우면서 소수점을 옮깁니다.

곱하는 소수 **0.1, 0.01, 0.001**의
소수점 아래 자리 수만큼
곱의 **소수점을 왼쪽**으로 옮겨!

○ 계산해 보시오.

⑬ $3 \times 0.1 =$
$3 \times 0.01 =$
$3 \times 0.001 =$

⑭ $6 \times 0.1 =$
$6 \times 0.01 =$
$6 \times 0.001 =$

⑮ $8 \times 0.1 =$
$8 \times 0.01 =$
$8 \times 0.001 =$

⑯ $12 \times 0.1 =$
$12 \times 0.01 =$
$12 \times 0.001 =$

⑰ $40 \times 0.1 =$
$40 \times 0.01 =$
$40 \times 0.001 =$

⑱ $57 \times 0.1 =$
$57 \times 0.01 =$
$57 \times 0.001 =$

⑲ $291 \times 0.1 =$
$291 \times 0.01 =$
$291 \times 0.001 =$

⑳ $603 \times 0.1 =$
$603 \times 0.01 =$
$603 \times 0.001 =$

㉑ $918 \times 0.1 =$
$918 \times 0.01 =$
$918 \times 0.001 =$

㉒ $1324 \times 0.1 =$
$1324 \times 0.01 =$
$1324 \times 0.001 =$

㉓ $7080 \times 0.1 =$
$7080 \times 0.01 =$
$7080 \times 0.001 =$

㉔ $8209 \times 0.1 =$
$8209 \times 0.01 =$
$8209 \times 0.001 =$

● $3 \times 4 = 12$를 보고 소수끼리의 곱셈에서
곱의 소수점 위치 알아보기

$$3 \times 4 = 12$$

$0.3 \quad \times \quad 0.4 \quad = 0.12$
소수   소수   왼쪽으로
한 자리 수   한 자리 수   두 자리

$0.3 \quad \times \quad 0.04 \quad = 0.012$
소수   소수   왼쪽으로
한 자리 수   두 자리 수   세 자리

$0.03 \quad \times \quad 0.04 \quad = 0.0012$
소수   소수   왼쪽으로
두 자리 수   두 자리 수   네 자리

곱하는 **두 소수**의
소수점 아래 자리 수의 합

$=$

곱의 소수점 아래 자리 수

○ 식을 보고 계산해 보시오.

①

$2 \times 9 = 18$

$0.2 \times 0.9 =$
$0.2 \times 0.09 =$
$0.02 \times 0.09 =$

②

$5 \times 6 = 30$

$0.5 \times 0.6 =$
$0.05 \times 0.6 =$
$0.05 \times 0.06 =$

③

$18 \times 7 = 126$

$1.8 \times 0.7 =$
$1.8 \times 0.07 =$
$0.18 \times 0.07 =$

④

$3 \times 72 = 216$

$0.3 \times 7.2 =$
$0.3 \times 0.72 =$
$0.03 \times 0.72 =$

⑤

$21 \times 19 = 399$

$2.1 \times 1.9 =$
$2.1 \times 0.19 =$
$0.21 \times 0.19 =$

⑥

$34 \times 13 = 442$

$3.4 \times 1.3 =$
$0.34 \times 1.3 =$
$0.34 \times 0.13 =$

⑦

$8 \times 65 = 520$

$0.8 \times 6.5 =$
$0.08 \times 6.5 =$
$0.08 \times 0.65 =$

⑧

$251 \times 4 = 1004$

$25.1 \times 0.4 =$
$2.51 \times 0.4 =$
$2.51 \times 0.04 =$

⑨

$49 \times 27 = 1323$

$4.9 \times 2.7 =$
$0.49 \times 2.7 =$
$0.49 \times 0.27 =$

⑩
$5 \times 407 = 2035$

$0.5 \times 40.7 =$
$0.5 \times 4.07 =$
$0.05 \times 4.07 =$

⑭
$1.3 \times 8 = 10.4$

$1.3 \times 0.8 =$
$1.3 \times 0.08 =$
$0.13 \times 0.08 =$

⑱
$6 \times 4.3 = 25.8$

$0.6 \times 4.3 =$
$0.6 \times 0.43 =$
$0.06 \times 0.43 =$

⑪
$93 \times 56 = 5208$

$9.3 \times 5.6 =$
$9.3 \times 0.56 =$
$0.93 \times 0.56 =$

⑮
$6.1 \times 2 = 12.2$

$6.1 \times 0.2 =$
$0.61 \times 0.2 =$
$0.61 \times 0.02 =$

⑲
$7 \times 5.9 = 41.3$

$0.7 \times 5.9 =$
$0.07 \times 5.9 =$
$0.07 \times 0.59 =$

⑫
$84 \times 84 = 7056$

$8.4 \times 8.4 =$
$0.84 \times 8.4 =$
$0.84 \times 0.84 =$

⑯
$2.9 \times 26 = 75.4$

$2.9 \times 2.6 =$
$2.9 \times 0.26 =$
$0.29 \times 0.26 =$

⑳
$34 \times 7.8 = 265.2$

$3.4 \times 7.8 =$
$3.4 \times 0.78 =$
$0.34 \times 0.78 =$

⑬
$795 \times 12 = 9540$

$79.5 \times 1.2 =$
$79.5 \times 0.12 =$
$7.95 \times 0.12 =$

⑰
$8.2 \times 41 = 336.2$

$8.2 \times 4.1 =$
$0.82 \times 4.1 =$
$0.82 \times 0.41 =$

㉑
$58 \times 9.5 = 551$

$5.8 \times 9.5 =$
$0.58 \times 9.5 =$
$0.58 \times 0.95 =$

화살표 방향에 따라 곱셈식을 세워!

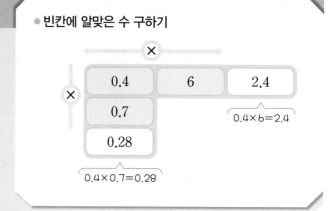

○ 빈칸에 알맞은 수를 써넣으시오.

1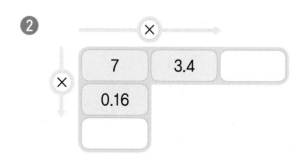

4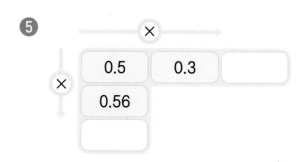

2

5

3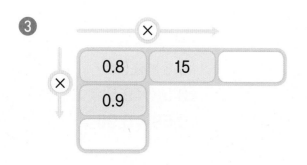

6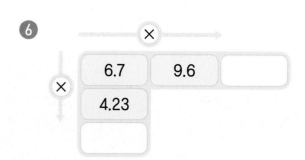

12 소수의 곱 구하기

곱

→ **곱셈식**을 이용해!

● 소수의 곱 구하기

1.3	2.4
3.12	

1.3×2.4=3.12

○ 소수의 곱을 빈칸에 써넣으시오.

7

0.6	2

11

0.72	0.3

8

4	0.8

12

2.5	3.1

9

3.35	6

13

0.4	0.59

10

9	7.68

14

5.1	4.37

■.■■■ × □ = ■■.■.■.■.

곱해지는 소수의 소수점이

오른쪽으로 **한** 자리 옮겨지면 □=**10**,

두 자리 옮겨지면 □=**100**,

세 자리 옮겨지면 □=**1000**이야!

● 소수의 곱셈에서 □의 값 구하기

· $0.31 \times \square = 3.1 \Rightarrow \square = 10$
오른쪽으로 한 자리 이동

· $0.468 \times \square = 46.8 \Rightarrow \square = 100$
오른쪽으로 두 자리 이동

· $0.721 \times \square = 721 \Rightarrow \square = 1000$
오른쪽으로 세 자리 이동

○ □ 안에 알맞은 수를 써넣으시오.

① $0.7 \times \boxed{} = 70$

② $0.18 \times \boxed{} = 1.8$

③ $0.84 \times \boxed{} = 840$

④ $0.052 \times \boxed{} = 0.52$

⑤ $0.931 \times \boxed{} = 93.1$

⑥ $5.6 \times \boxed{} = 5600$

⑦ $1.72 \times \boxed{} = 172$

⑧ $2.23 \times \boxed{} = 22.3$

⑨ $3.495 \times \boxed{} = 349.5$

⑩ $4.609 \times \boxed{} = 4609$

⑭ 곱의 소수점의 위치를 이용하여 ☐ 구하기 (2)

곱해지는 수의 소수점이

왼쪽으로 **한** 자리 옮겨지면 ☐=**0.1**,

두 자리 옮겨지면 ☐=**0.01**,

세 자리 옮겨지면 ☐=**0.001**이야!

● 소수의 곱셈에서 ☐의 값 구하기

• $9 \times \boxed{} = 0.9 \Rightarrow \boxed{} = 0.1$

　왼쪽으로 한 자리 이동

• $13.7 \times \boxed{} = 0.137 \Rightarrow \boxed{} = 0.01$

　왼쪽으로 두 자리 이동

• $52.6 \times \boxed{} = 0.0526 \Rightarrow \boxed{} = 0.001$

　왼쪽으로 세 자리 이동

○ ☐ 안에 알맞은 수를 써넣으시오.

⑪ $5 \times \boxed{} = 0.5$

⑫ $34 \times \boxed{} = 0.034$

⑬ $97 \times \boxed{} = 0.97$

⑭ $0.26 \times \boxed{} = 0.026$

⑮ $14.8 \times \boxed{} = 0.0148$

⑯ $28.1 \times \boxed{} = 0.0281$

⑰ $40.53 \times \boxed{} = 4.053$

⑱ $73.86 \times \boxed{} = 0.7386$

⑲ $502.9 \times \boxed{} = 0.5029$

⑳ $874.5 \times \boxed{} = 8.745$

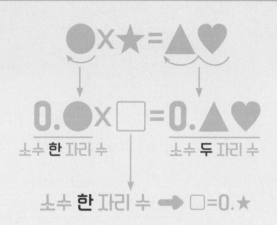

- **4×6=24를 이용하여 □의 값 구하기**

$$4 \times 6 = 24$$

소수점이 왼쪽으로 한 자리 옮겨진 것입니다.

소수점이 왼쪽으로 두 자리 옮겨진 것입니다.

$$0.4 \times \boxed{} = 0.24$$

⇨ □는 6에서 소수점을 왼쪽으로 한 자리 옮긴 0.6입니다.

○ 식을 보고 □ 안에 알맞은 수를 써넣으시오.

①
$$9 \times 4 = 36$$
⇩
$$0.9 \times \boxed{} = 0.36$$

④
$$8 \times 7 = 56$$
⇩
$$\boxed{} \times 0.7 = 0.056$$

②
$$21 \times 5 = 105$$
⇩
$$2.1 \times \boxed{} = 0.105$$

⑤
$$77 \times 3 = 231$$
⇩
$$\boxed{} \times 0.03 = 0.231$$

③
$$6 \times 36 = 216$$
⇩
$$0.06 \times \boxed{} = 0.216$$

⑥
$$9 \times 42 = 378$$
⇩
$$\boxed{} \times 4.2 = 0.0378$$

⑦
$$37 \times 13 = 481$$

⇩

$$0.37 \times \boxed{} = 0.0481$$

⑫
$$19 \times 32 = 608$$

⇩

$$\boxed{} \times 3.2 = 6.08$$

⑧
$$148 \times 5 = 740$$

⇩

$$14.8 \times \boxed{} = 7.4$$

⑬
$$221 \times 4 = 884$$

⇩

$$\boxed{} \times 0.4 = 0.0884$$

⑨
$$3 \times 326 = 978$$

⇩

$$0.03 \times \boxed{} = 0.0978$$

⑭
$$6 \times 175 = 1050$$

⇩

$$\boxed{} \times 1.75 = 1.05$$

⑩
$$119 \times 24 = 2856$$

⇩

$$11.9 \times \boxed{} = 28.56$$

⑮
$$309 \times 11 = 3399$$

⇩

$$\boxed{} \times 1.1 = 0.3399$$

⑪
$$25 \times 213 = 5325$$

⇩

$$2.5 \times \boxed{} = 0.5325$$

⑯
$$38 \times 169 = 6422$$

⇩

$$\boxed{} \times 16.9 = 6.422$$

두 수의 **자연수 부분이** **클수록** 곱이 커!

● 수 카드 4장을 한 번씩만 사용하여 곱이 가장 큰 소수의 곱셈식 만들기

1 2 3 4 ⇨ ㉠.□□×㉡

곱이 가장 크게 곱셈식을 만들려면
㉠=4, ㉡=3이거나
㉠=3, ㉡=4이어야 합니다.
• ㉠=4, ㉡=3일 때, 4.21×3=12.63
  └● 나머지 수를 큰 수부터
• ㉠=3, ㉡=4일 때, 3.21×4=12.84
⇨ 곱이 가장 큰 곱셈식: 3.21×4=12.84

○ 수 카드 4장을 한 번씩만 사용하여 곱이 가장 큰 소수의 곱셈식을 만들고 계산해 보시오.

❶ 2 7 3 5

□.□□ × □

(   )

❹ 3 5 7 9

□ × □.□□

(   )

❷ 4 1 6 2

□.□ × □.□

(   )

❺ 5 1 6 8

□.□□ × □

(   )

❸ 5 3 1 4

□ × □.□□

(   )

❻ 8 3 9 2

□.□ × □.□

(   )

17 곱이 가장 작은 소수의 곱셈식 만들기

두 수의 **자연수** 부분이
작을수록 곱이 **작아!**

- 수 카드 4장을 한 번씩만 사용하여 곱이
  가장 작은 소수의 곱셈식 만들기

  `1` `2` `3` `4` ⇨ ㉠.☐×㉡.☐

  곱이 가장 작게 곱셈식을 만들려면
  ㉠=1, ㉡=2이거나
  ㉠=2, ㉡=1이어야 합니다.
  - ㉠=1, ㉡=2일 때, 1.3×2.4=3.12
  - ㉠=2, ㉡=1일 때, 2.3×1.4=3.22
  ⇨ 곱이 가장 작은 곱셈식: 1.3×2.4=3.12

○ 수 카드 4장을 한 번씩만 사용하여 곱이 가장 작은 소수의 곱셈식을 만들고 계산해 보시오.

❼ `2` `5` `4` `6`

☐.☐ × ☐.☐

(   )

❿ `3` `8` `6` `7`

☐ × ☐.☐☐

(   )

❽ `3` `7` `5` `4`

☐.☐☐ × ☐

(   )

⓫ `4` `9` `3` `6`

☐.☐ × ☐.☐

(   )

❾ `7` `2` `3` `9`

☐ × ☐.☐☐

(   )

⓬ `9` `8` `4` `5`

☐.☐☐ × ☐

(   )

소수의 곱셈식 완성하기

올림이 있으면
올림한 수를 주의해!

○ 소수의 곱셈식을 완성해 보시오.

①

$$\begin{array}{r} 0.4\,\square \\ \times\qquad 9 \\ \hline \square.2\ \ 3 \end{array}$$

②

$$\begin{array}{r} 0.9\,\square \\ \times\quad 0.3 \\ \hline 0.2\,\square\,9 \end{array}$$

③

$$\begin{array}{r} 3\quad 1 \\ \times\ 0.\square \\ \hline 1\ \square.5 \end{array}$$

④

$$\begin{array}{r} \square \\ \times\ 6.8 \\ \hline 4\ \square.6 \end{array}$$

⑤

$$\begin{array}{r} 3.7\,\square \\ \times\qquad 4 \\ \hline 1\ \square.0\ 4 \end{array}$$

⑥

$$\begin{array}{r} 0.0\ 6 \\ \times\ 0.8\,\square \\ \hline 0.0\ 4\ \square\ 8 \end{array}$$

⑦
```
      0 . 7 □
×         6 7
      5 □   1
    4 □   8
    4 8 . 9 1
```

⑩
```
        □ . 1
×         9 . □
        □   2 4
      7 2   9
      7 6 . 1 4
```

⑧
```
        5 . 9
×         5 . □
        2 □   6
      2 9   5
      3 □ . 8 6
```

⑪
```
        2 □
×         □ . 8
        1 7   6
      1 □   4
      1 7 1 . 6
```

⑨
```
        8 □
×       0 . 6 3
        2 □   7
      5 □   4
      5 6 . 0 7
```

⑫
```
      4 . 2 6
×         □ □
        8 5 2
      3 □   3 4
      3 9 1 . 9 2
```

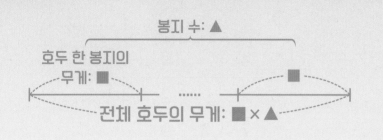

● 문제를 읽고 식을 세워 답 구하기

호두 한 봉지의 무게는 0.9 kg입니다.
호두 6봉지의 무게는 모두 몇 kg입니까?

식 $0.9 \times 6 = 5.4$

답 5.4 kg

① 정호는 매일 공부를 1.5시간씩 하였습니다.
정호가 7일 동안 공부를 한 시간은 모두 몇 시간입니까?

계산 공간

식 :

답 :

② 민수는 매일 물을 0.75 L씩 마셨습니다.
민수가 5일 동안 마신 물은 모두 몇 L입니까?

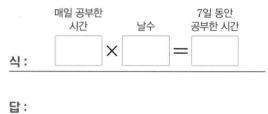

식 :

답 :

③ 두께가 일정한 나무토막 1 m의 무게는 3 kg입니다.
이 나무토막 1.8 m의 무게는 몇 kg입니까?

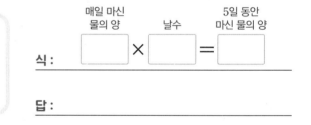

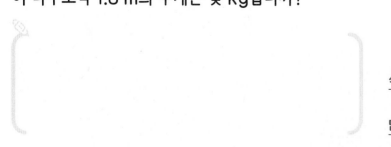

식 :

답 :

④ 소연이의 키는 140 cm입니다.
동생의 키가 소연이의 키의 0.8배일 때 동생의 키는 몇 cm입니까?

식 : _____

답 : _____

⑤ 어느 식당에서는 매일 밀가루를 2.78 kg씩 사용했습니다.
이 식당에서 6일 동안 사용한 밀가루는 모두 몇 kg입니까?

식 : _____

답 : _____

⑥ 1 kg의 사과로 0.6 L의 주스를 만들 수 있다고 합니다.
0.95 kg의 사과로 만들 수 있는 주스는 몇 L입니까?

식 : _____

답 : _____

⑦ 빨간색 구슬의 무게는 8.4 g입니다.
파란색 구슬의 무게가 빨간색 구슬의 무게의 2.3배일 때
파란색 구슬의 무게는 몇 g입니까?

식 : _____

답 : _____

문제 파헤치기

① 진하의 몸무게는 ■ kg이고, 어머니의 몸무게는 진하의 몸무게의 ▲배입니다.

② 아버지의 몸무게가 어머니의 몸무게의 ●배일 때 아버지의 몸무게는 몇 kg입니까?

식 세우기

어머니의 몸무게:
■ × ▲

아버지의 몸무게:
■ × ▲ × ●
어머니의 몸무게

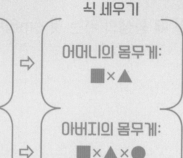

• 문제를 읽고 식을 세워 답 구하기

진하의 몸무게는 30.2 kg이고, 어머니의 몸무게는 진하의 몸무게의 1.8배입니다. 아버지의 몸무게가 어머니의 몸무게의 1.5배일 때 아버지의 몸무게는 몇 kg입니까?

① 어머니의 몸무게
식 30.2 × 1.8 × 1.5 = 81.54
② 아버지의 몸무게

답 81.54 kg

---

① 소희는 우유를 0.4 L 마셨고, 정아는 소희의 0.7배를 마셨습니다.
은지가 정아의 0.8배를 마셨다고 할 때 은지가 마신 우유는 몇 L입니까?

문제 파헤치기

소희는 우유를 0.4 L 마셨고, 정아는 소희의 0.7배를 마셨습니다.

은지가 정아의 0.8배를 마셨다고 할 때 은지가 마신 우유는 몇 L입니까?

식 세우기

정아가 마신 우유의 양:
0.4 × ☐

은지가 마신 우유의 양:
0.4 × ☐ × ☐

답 :

---

② 승욱이는 고구마를 1.9 kg 캤고, 도혜는 승욱이의 1.7배를 캤습니다.
나연이가 도혜의 2.1배를 캤을 때 나연이가 캔 고구마는 몇 kg입니까?

문제 파헤치기

승욱이는 고구마를 1.9 kg 캤고, 도혜는 승욱이의 1.7배를 캤습니다.

나연이가 도혜의 2.1배를 캤을 때 나연이가 캔 고구마는 몇 kg입니까?

식 세우기

도혜가 캔 고구마의 무게:
1.9 × ☐

나연이가 캔 고구마의 무게:
1.9 × ☐ × ☐

답 :

❸ 미술 시간에 진우는 철사를 0.8 m 사용했고, 영미는 진우의 0.9배를 사용했습니다.
정주가 영미의 0.6배를 사용했다고 할 때 정주가 사용한 철사는 몇 m입니까?

식 : _____

답 : _____

❹ 시후는 운동장을 1.4 km 달렸고, 지영이는 시후의 1.25배를 달렸습니다.
준서가 지영이의 2.3배를 달렸다고 할 때 준서가 달린 거리는 몇 km입니까?

식 : _____

답 : _____

❺ 어떤 밀가루 한 봉지의 무게는 0.9 kg이고, 그중 0.7만큼이 탄수화물 성분입니다.
단백질 성분이 탄수화물 성분의 0.25만큼이라고 할 때
이 밀가루 한 봉지에 들어 있는 단백질 성분은 몇 kg입니까?

식 : _____

답 : _____

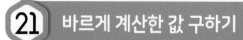

21 바르게 계산한 값 구하기

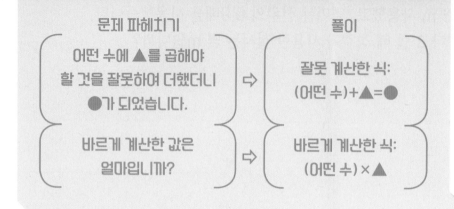

문제 파헤치기

어떤 수에 ▲를 곱해야 할 것을 잘못하여 더했더니 ●가 되었습니다.

바르게 계산한 값은 얼마입니까?

⇨

풀이

잘못 계산한 식:
(어떤 수)+▲=●

바르게 계산한 식:
(어떤 수)×▲

●문제를 읽고 해결하기

어떤 수에 3을 곱해야 할 것을
잘못하여 더했더니 3.5가 되었습니다.
바르게 계산한 값은 얼마입니까?

어떤 수

풀이 ☐+3=3.5
⇨ 3.5-3=☐, ☐=0.5
따라서 바르게 계산한 값은
0.5×3=1.5입니다.

답 1.5

① 어떤 수에 0.6을 곱해야 할 것을 잘못하여 더했더니 7.6이 되었습니다.
바르게 계산한 값은 얼마입니까?

풀이 공간

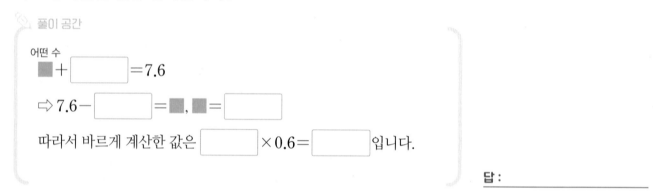

어떤 수

■+☐=7.6

⇨ 7.6-☐=■, ■=☐

따라서 바르게 계산한 값은 ☐×0.6=☐입니다.

답 :

② 어떤 수에 4를 곱해야 할 것을 잘못하여 뺐더니 6.58이 되었습니다.
바르게 계산한 값은 얼마입니까?

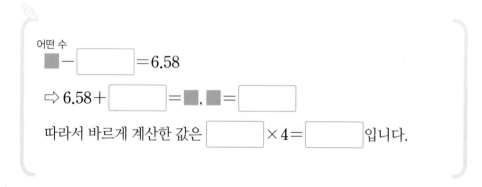

어떤 수

■-☐=6.58

⇨ 6.58+☐=■, ■=☐

따라서 바르게 계산한 값은 ☐×4=☐입니다.

답 :

③ 어떤 수에 3.35를 곱해야 할 것을 잘못하여 더했더니 8.35가 되었습니다.
바르게 계산한 값은 얼마입니까?

답 : _____

④ 어떤 수에 4.7을 곱해야 할 것을 잘못하여 뺐더니 3.9가 되었습니다.
바르게 계산한 값은 얼마입니까?

답 : _____

⑤ 어떤 수에 0.26을 곱해야 할 것을 잘못하여 더했더니 0.94가 되었습니다.
바르게 계산한 값은 얼마입니까?

답 : _____

● 계산해 보시오.

1
$$\begin{array}{r} 0.9 \\ \times \quad 3 \\ \hline \end{array}$$

2
$$\begin{array}{r} 3.5\ 1 \\ \times \quad 6 \\ \hline \end{array}$$

3
$$\begin{array}{r} 4 \\ \times\ 0.7\ 2 \\ \hline \end{array}$$

4
$$\begin{array}{r} 5 \\ \times\ 2.8 \\ \hline \end{array}$$

5
$$\begin{array}{r} 0.1\ 4 \\ \times \quad 0.7 \\ \hline \end{array}$$

6
$$\begin{array}{r} 1.3 \\ \times\ 9.2 \\ \hline \end{array}$$

7 $0.45 \times 8 =$

8 $4.8 \times 1.16 =$

9 $0.8 \times 0.3 \times 0.6 =$

10 $2.6 \times 1.4 \times 2.7 =$

11 $2.08 \times 10 =$
$2.08 \times 100 =$
$2.08 \times 1000 =$

12 $560 \times 0.1 =$
$560 \times 0.01 =$
$560 \times 0.001 =$

13
$$\boxed{7 \times 25 = 175}$$

$0.7 \times 2.5 =$
$0.07 \times 2.5 =$
$0.07 \times 0.25 =$

○  안에 알맞은 수를 써넣으시오.

14 $0.63 \times \boxed{} = 630$

15 $740 \times \boxed{} = 7.4$

16

$$35 \times 43 = 1505$$

⇩

$$0.35 \times \boxed{} = 1.505$$

17 어느 식당에서 매일 식용유를 2.17 L씩 사용했습니다. 이 식당에서 8일 동안 사용한 식용유는 모두 몇 L입니까?

식 _____

답 _____

18 빨간색 테이프의 길이는 7.1 m이고, 노란색 테이프는 빨간색 테이프의 1.8배입니다. 파란색 테이프는 노란색 테이프의 2.5배라고 할 때 파란색 테이프는 몇 m입니까?

식 _____

답 _____

19 수 카드 4장을 한 번씩만 사용하여 곱이 가장 큰 소수의 곱셈식을 만들려고 합니다. 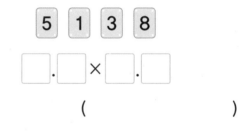 안에 알맞은 수를 써넣고, 곱을 구해 보시오.

$$\boxed{5} \quad \boxed{1} \quad \boxed{3} \quad \boxed{8}$$

$$\boxed{}.\boxed{} \times \boxed{}.\boxed{}$$

(   )

20 어떤 수에 0.4를 곱해야 할 것을 잘못하여 뺐더니 0.16이 되었습니다. 바르게 계산한 값은 얼마입니까?

(   )

직육면체

◆ 맞힌 개수와 걸린 시간을 작성해 보세요.

학습 내용	일 차	맞힌 개수	걸린 시간
⑩ 직육면체의 모든 모서리의 길이의 합 구하기	8일 차	/8개	/8분
⑪ 직육면체에서 보이는, 보이지 않는 모서리의 길이의 합 구하기			
⑫ 전개도에서 만나는 점 찾기	9일 차	/6개	/6분
⑬ 전개도에서 모서리의 길이 구하기			
평가 5. 직육면체	10일 차	/14개	/15분

직사각형 6개로 둘러싸인 도형 → 직육면체

● 직육면체

직육면체: 직사각형 6개로 둘러싸인 도형

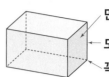

면 ─ 선분으로 둘러싸인 부분

모서리 ─ 면과 면이 만나는 선분

꼭짓점 ─ 모서리와 모서리가 만나는 점

면의 수(개)	모서리의 수(개)	꼭짓점의 수(개)
6	12	8

○ 직육면체를 찾아 ◯표 하시오.

1

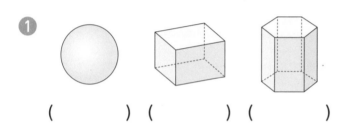

(   ) (   ) (   )

2

(   ) (   ) (   )

3

(   ) (   ) (   )

○ ☐ 안에 직육면체 각 부분의 이름을 알맞게 써넣고, 면, 모서리, 꼭짓점의 수를 각각 구해 보시오.

4

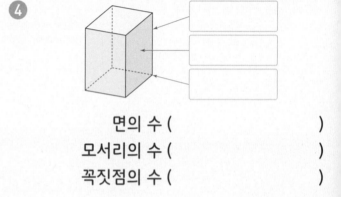

면의 수 (   )

모서리의 수 (   )

꼭짓점의 수 (   )

5

면의 수 (   )

모서리의 수 (   )

꼭짓점의 수 (   )

2 정육면체

정사각형 6개로 둘러싸인 도형 → 정육면체

● 정육면체

정육면체: 정사각형 6개로 둘러싸인 도형

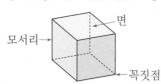

면의 수(개)	모서리의 수(개)	꼭짓점의 수(개)
6	12	8

○ 정육면체를 찾아 ○표 하시오.

❻

(   ) (   ) (   )

❼

(   ) (   ) (   )

❽
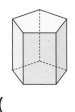 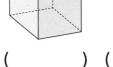

(   ) (   ) (   )

○ ☐ 안에 정육면체 각 부분의 이름을 알맞게 써넣고, 면, 모서리, 꼭짓점의 수를 각각 구해 보시오.

❾

면의 수 (   )
모서리의 수 (   )
꼭짓점의 수 (   )

❿
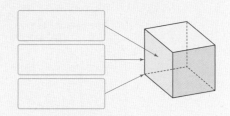

면의 수 (   )
모서리의 수 (   )
꼭짓점의 수 (   )

1일 차 학습한 날   월   일   **걸린 시간**   분   **맞힌 개수**   /10

3 직육면체의 성질

서로 만나지 않는

평행한 두 **면**

→ **밑면**

밑면과 수직인 **면**

→ **옆면**

● 직육면체의 성질

• **밑면**: 직육면체에서 색칠한 두 면처럼 계속 늘여도 만나지 않는 평행한 두 면

⇨ 서로 마주 보고 있는 면은 서로 평행하고, 직육면체에서 서로 평행한 면은 3쌍입니다.

• **옆면**: 직육면체에서 밑면과 수직인 면

⇨ 한 면과 수직인 면은 4개이므로 옆면은 4개입니다.

○ 직육면체에서 색칠한 면과 평행한 면을 찾아 써 보시오.

1

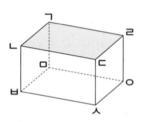

_____

3

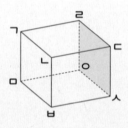

_____

2

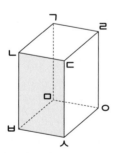

_____

4

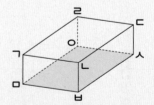

_____

○ 직육면체에서 색칠한 면과 수직인 면을 모두 찾아 써 보시오.

⑤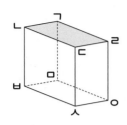

_____

_____

⑧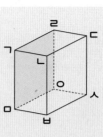

_____

_____

⑥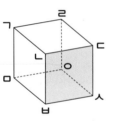

_____

_____

⑨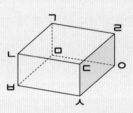

_____

_____

⑦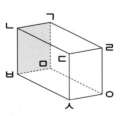

_____

_____

⑩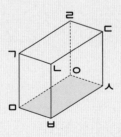

_____

_____

4 직육면체의 겨냥도

직육면체 **모양을**
잘 알 수 있도록
나타낸 그림
➡ 직육면체의 **겨냥도**

• 직육면체의 겨냥도
• 직육면체의 **겨냥도**: 직육면체 모양을 잘 알 수 있도록 나타낸 그림

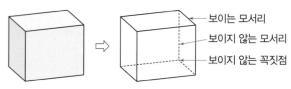

보이는 모서리
보이지 않는 모서리
보이지 않는 꼭짓점

• 보이는 모서리는 실선으로 그립니다.
• 보이지 않는 모서리는 점선으로 그립니다.
• 평행한 모서리는 평행하도록 그립니다.

참고		면의 수	모서리의 수	꼭짓점의 수
	보이는 부분	3개	9개	7개
	보이지 않는 부분	3개	3개	1개

○ 직육면체의 겨냥도를 바르게 그린 것을 찾아 ○표 하시오.

①

( ) ( ) ( ) ( )

②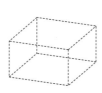

( ) ( ) ( ) ( )

③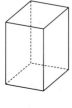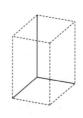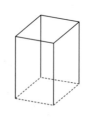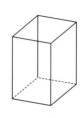

( ) ( ) ( ) ( )

○ 그림에서 빠진 부분을 그려 넣어 직육면체의 겨냥도를 완성해 보시오.

④ 학습한 날   월   일   걸린 시간   분   맞힌 개수   /13

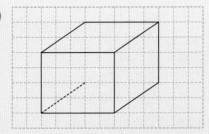

⑨

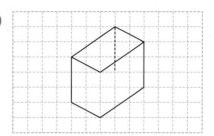

⑤

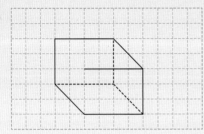

⑩

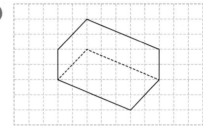

⑥

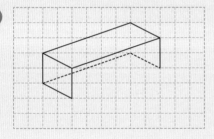

⑪

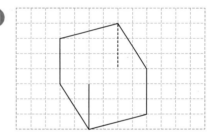

⑦

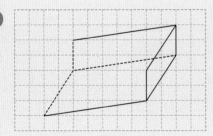

⑫

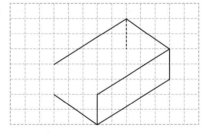

⑧

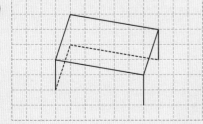

⑬

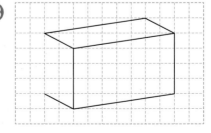

5 정육면체의 전개도

정육면체의 **모서리를**
잘라서 펼친 그림
➡ 정육면체의 **전개도**

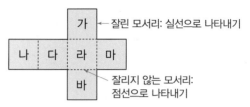

잘린 모서리: 실선으로 나타내기
잘리지 않는 모서리:
점선으로 나타내기

- 전개도를 접었을 때
  - 면 다와 평행한 면: 면 마
  - 면 가와 수직인 면: 면 나, 면 다, 면 라, 면 마

⊙ 정육면체의 전개도를 찾아 ◯표 하시오.

❶

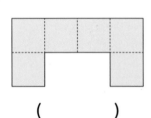

(   )

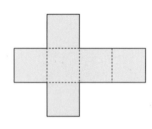

(   )

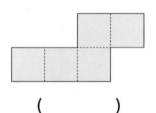

(   )

❷

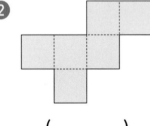

(   )

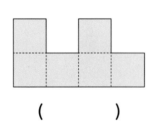

(   )

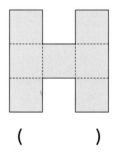

(   )

❸

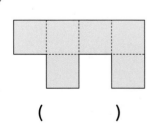

(   )

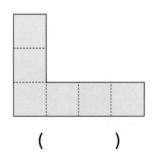

(   )

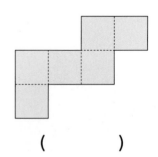

(   )

○ 전개도를 접어서 정육면체를 만들었을 때 색칠한 면과 평행한 면에 색칠해 보시오.

4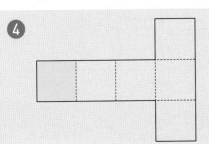

5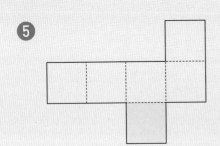

6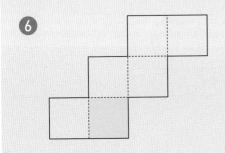

7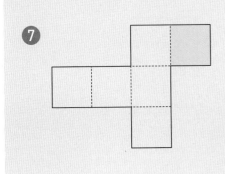

○ 전개도를 접어서 정육면체를 만들었을 때 색칠한 면과 수직인 면에 모두 색칠해 보시오.

8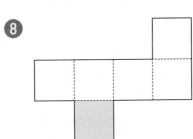

9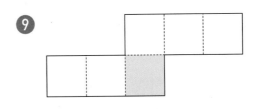

10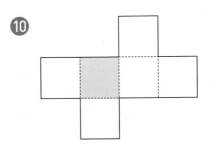

11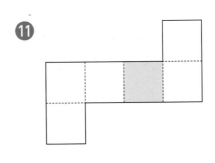

• 직육면체의 전개도
• 직육면체의 **전개도**: 직육면체의 모서리를 잘라서
　　　　　　　펼친 그림

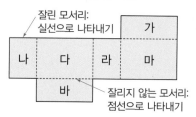

잘린 모서리:
실선으로 나타내기

잘리지 않는 모서리:
점선으로 나타내기

• 전개도를 접었을 때
　ㄷ 면 라와 평행한 면: 면 나
　ㄴ 면 마와 수직인 면: 면 가, 면 나, 면 라, 면 바

○ 직육면체의 전개도를 찾아 ◯표 하시오.

 ❶

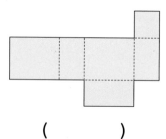　　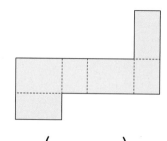　　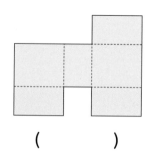

(　　　)　　　　(　　　)　　　　(　　　)

❷

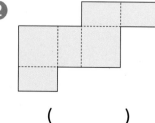　　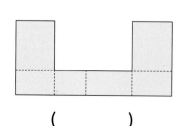　　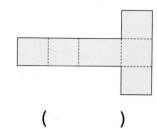

(　　　)　　　　(　　　)　　　　(　　　)

❸

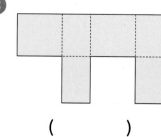　　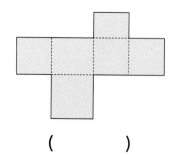　　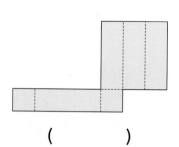

(　　　)　　　　(　　　)　　　　(　　　)

○ 전개도를 접어서 직육면체를 만들었을 때 색칠한 면과 평행한 면에 색칠해 보시오.

○ 전개도를 접어서 직육면체를 만들었을 때 색칠한 면과 수직인 면에 모두 색칠해 보시오.

④
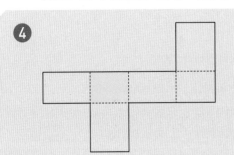

⑧
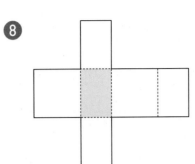

⑤
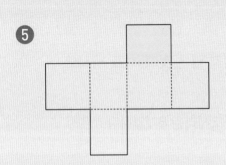

⑨
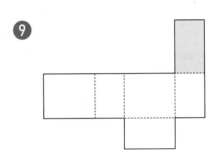

⑥
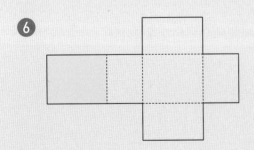

⑩
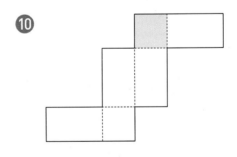

⑦
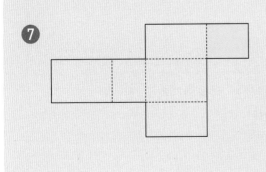

⑪
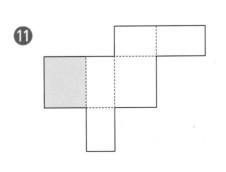

● 직육면체와 정육면체의 공통점

	면의 수(개)	모서리의 수(개)	꼭짓점의 수(개)
직육면체, 정육면체	6	12	8

● 직육면체와 정육면체의 차이점

	면의 모양	모서리의 길이
직육면체	직사각형	모두 같지 않습니다.
정육면체	정사각형	모두 같습니다.

• 4개씩 3쌍의 길이가 같습니다.

참고 • 직육면체는 정육면체라고 할 수 없습니다.
• 정육면체는 직육면체라고 할 수 있습니다.
└ • 정사각형은 직사각형이라고 할 수 있습니다.

직육면체와 정육면체의 비교

┌ 면, 모서리, 꼭짓점의 수 는 각각 서로 같아!

┌ 면의 모양과 모서리의 길이는 각각 서로 다를 수 있어!

○ 직육면체와 정육면체에 대한 설명입니다. 바르게 설명한 것에 ○표, 그렇지 않은 것에 ×표 하시오.

1 정사각형 6개로 둘러싸인 도형을 정육면체라고 합니다.

2 직육면체의 모서리의 길이는 모두 같습니다.

3 정육면체의 면의 크기는 모두 같습니다.

4 직육면체의 면은 4개입니다.

5 정육면체의 모서리는 6개입니다.

6 정육면체에서 옆면은 2개입니다.

7 직육면체의 꼭짓점은 8개입니다.

8 정육면체는 직육면체라고 할 수 있습니다.

⑨ 정육면체의 면은 6개입니다.

⑩ 직육면체와 정육면체의 모서리의 수는 서로 다릅니다.

⑪ 정육면체의 꼭짓점은 12개입니다.

⑫ 직육면체의 한 면과 수직으로 만나는 면은 4개입니다.

⑬ 직육면체의 면의 모양은 모두 정사각형입니다.

⑭ 직육면체의 면의 크기는 모두 같습니다.

⑮ 직육면체에서 서로 평행한 면은 3쌍입니다.

⑯ 직육면체와 정육면체의 면의 수는 서로 같습니다.

⑰ 정육면체의 모서리의 길이는 모두 다릅니다.

⑱ 직육면체는 정육면체라고 할 수 있습니다.

⑲ 직육면체와 정육면체의 꼭짓점의 수는 서로 같습니다.

⑳ 직육면체의 모서리는 12개입니다.

● 정육면체의 모든 모서리의 길이의 합 구하기

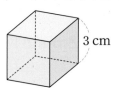

3 cm

길이가 3 cm인 모서리는 모두 12개입니다.

⇨ (모든 모서리의 길이의 합)
　　＝3×12＝36(cm)

(정육면체의 모든 모서리의 길이의 합)
＝(**한 모서리**의 길이)×**12**

○ 정육면체를 보고 ☐ 안에 알맞은 수를 써넣고, 모든 모서리의 길이의 합은 몇 cm인지 구해 보시오.

❶

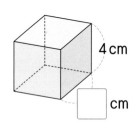

4 cm

☐ cm

식 : _____

답 : _____

❸

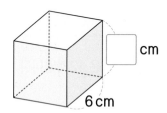

☐ cm

6 cm

식 : _____

답 : _____

❷

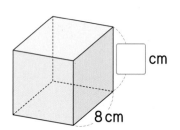

☐ cm

8 cm

식 : _____

답 : _____

❹

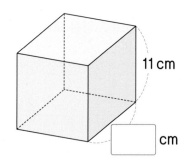

11 cm

☐ cm

식 : _____

답 : _____

9 정육면체에서 보이는, 보이지 않는 모서리의 길이의 합 구하기

(정육면체에서 **보이는 모서리**의 길이의 합)

= **(한 모서리**의 길이**)×9**

(정육면체에서 **보이지 않는 모서리**의 길이의 합)

= **(한 모서리**의 길이**)×3**

● 정육면체에서 보이는 모서리의 길이의 합과 보이지 않는 모서리의 길이의 합 구하기

• 보이는 모서리는 모두 9개입니다.
  ⇨ (보이는 모서리의 길이의 합)
    $= 2 \times 9 = 18 (cm)$
• 보이지 않는 모서리는 모두 3개입니다.
  ⇨ (보이지 않는 모서리의 길이의 합)
    $= 2 \times 3 = 6 (cm)$

◎ 정육면체에서 보이는 모서리의 길이의 합은 몇 cm인지 구해 보시오.

5 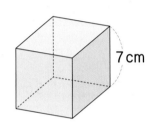 7 cm

식 : _____

답 : _____

6 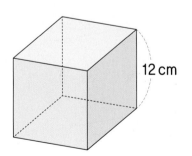 12 cm

식 : _____

답 : _____

◎ 정육면체에서 보이지 않는 모서리의 길이의 합은 몇 cm인지 구해 보시오.

7 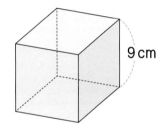 9 cm

식 : _____

답 : _____

8 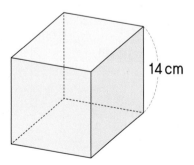 14 cm

식 : _____

답 : _____

● 직육면체의 모든 모서리의 길이의 합 구하기

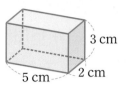

길이가 5 cm, 2 cm, 3 cm인 모서리는 각각 4개입니다.

⇨ (모든 모서리의 길이의 합)
   $=(5+2+3)\times4=40$(cm)

(직육면체의 모든 모서리의 길이의 합)
$=($한 꼭짓점에서 만나는 세 모서리의 길이의 합$)\times4$

○ 직육면체를 보고 ☐ 안에 알맞은 수를 써넣고, 모든 모서리의 길이의 합은 몇 cm인지 구해 보시오.

1

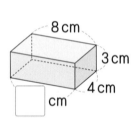

식 : _____

답 : _____

3

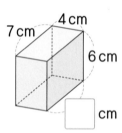

식 : _____

답 : _____

2

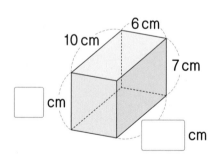

식 : _____

답 : _____

4

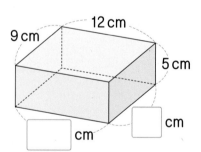

식 : _____

답 : _____

11 직육면체에서 보이는, 보이지 않는 모서리의 길이의 합 구하기

● 직육면체에서 보이는 모서리의 길이의 합과 보이지 않는 모서리의 길이의 합 구하기

(직육면체에서 **보이는 모서리**의 길이의 합)

= (한 꼭짓점에서 만나는 **세 모서리**의 길이의 합) **×3**

(직육면체에서 **보이지 않는 모서리**의 길이의 합)

= (한 꼭짓점에서 만나는 **세 모서리**의 길이의 합)

• 길이가 2 cm, 4 cm, 3 cm인 보이는 모서리는 각각 3개이므로
(보이는 모서리의 길이의 합)
= (2+4+3)×3=27(cm)

• 길이가 2 cm, 4 cm, 3 cm인 보이지 않는 모서리는 각각 1개이므로
(보이지 않는 모서리의 길이의 합)
= 2+4+3=9(cm)

◎ 직육면체에서 보이는 모서리의 길이의 합은 몇 cm인지 구해 보시오.

5

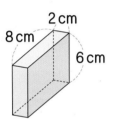

식 : _____

답 : _____

6

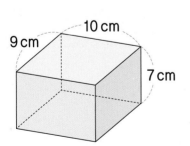

식 : _____

답 : _____

◎ 직육면체에서 보이지 않는 모서리의 길이의 합은 몇 cm인지 구해 보시오.

7

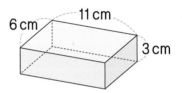

식 : _____

답 : _____

8

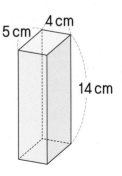

식 : _____

답 : _____

전개도를 접었을 때
한 꼭짓점에서 **만나는**
면과 **모서리**는
각각 **3개**야!

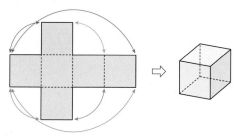

전개도를 접었을 때
- 같은 색의 화살표로 서로 연결된 점끼리 만납니다.
- 한 꼭짓점에서 만나는 면과 모서리는 각각 3개입니다.

○ 직육면체의 전개도를 그린 것입니다. ☐ 안에 알맞은 기호를 써넣으시오.

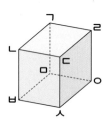 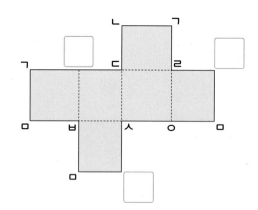

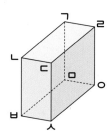 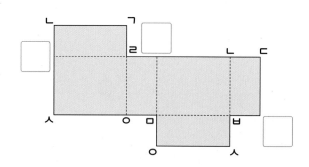

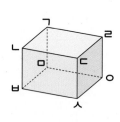 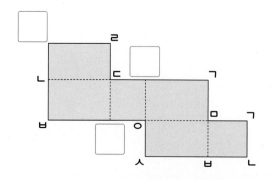

13 전개도에서 모서리의 길이 구하기

전개도를 접었을 때
만나는 모서리와
평행한 모서리의
길이는 각각 서로 같아!

● 전개도에서 모서리의 길이 구하기

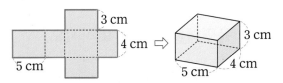

전개도를 접었을 때

⎡ 같은 색의 모서리끼리 서로 겹칩니다.
⎣ 같은 색의 모서리의 길이는 각각 같습니다.

○ 직육면체의 전개도를 그린 것입니다. ☐ 안에 알맞은 수를 써넣으시오.

4

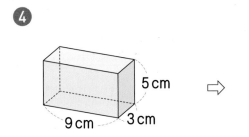

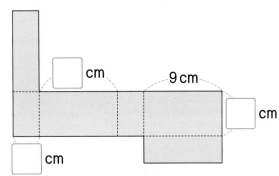

5

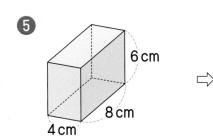

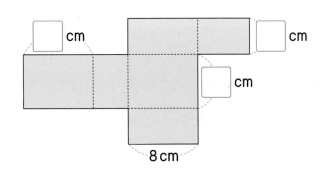

6

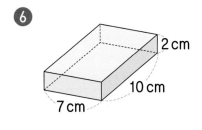

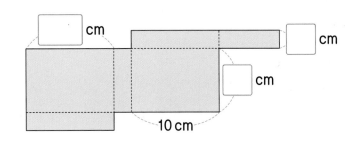

1 직육면체를 찾아 ◯표 하시오.

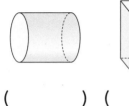 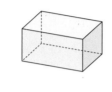

(   ) (   ) (   )

2 정육면체를 찾아 ◯표 하시오.

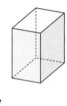

(   ) (   ) (   )

3 오른쪽 직육면체에서 색칠한 면과 수직인 면을 모두 찾아 써 보시오.

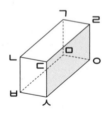

_____

_____

4 그림에서 빠진 부분을 그려 넣어 직육면체의 겨냥도를 완성해 보시오.

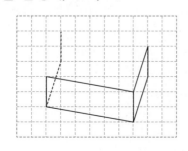

5 정육면체의 전개도에 ◯표 하시오.

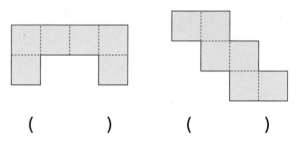

(   )   (   )

6 직육면체의 전개도에 ◯표 하시오.

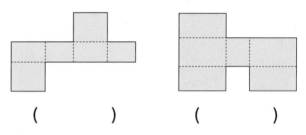

(   )   (   )

7 전개도를 접어서 정육면체를 만들었을 때 색칠한 면과 평행한 면에 색칠해 보시오.

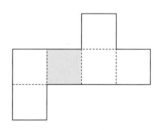

8 전개도를 접어서 직육면체를 만들었을 때 색칠한 면과 수직인 면에 모두 색칠해 보시오.

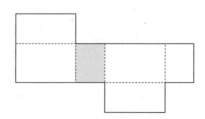

9 정육면체의 모든 모서리의 길이의 합은 몇 cm입니까?

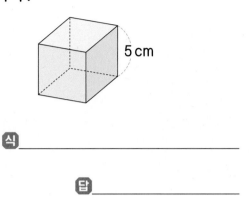

5 cm

식 _____

답 _____

10 정육면체에서 보이지 않는 모서리의 길이의 합은 몇 cm입니까?

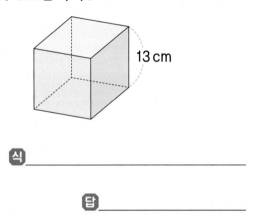

13 cm

식 _____

답 _____

11 직육면체의 모든 모서리의 길이의 합은 몇 cm입니까?

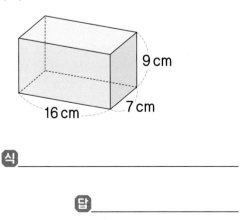

9 cm
16 cm 7 cm

식 _____

답 _____

12 직육면체에서 보이는 모서리의 길이의 합은 몇 cm입니까?

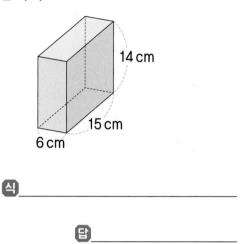

14 cm
15 cm
6 cm

식 _____

답 _____

13 직육면체의 전개도를 그린 것입니다. ☐ 안에 알맞은 기호를 써넣으시오.

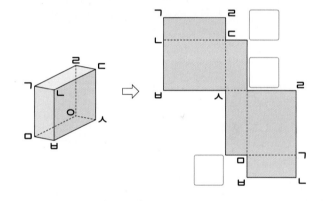

14 직육면체의 전개도를 그린 것입니다. ☐ 안에 알맞은 수를 써넣으시오.

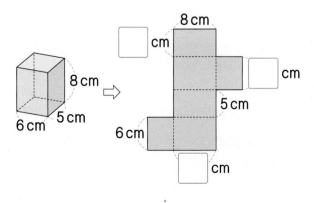

8 cm
☐ cm
☐ cm
8 cm
5 cm
6 cm
6 cm
5 cm
☐ cm

평균과 가능성

학습 내용	일 차	맞힌 개수	걸린 시간
① 평균	1일 차	/14개	/11분
② 일이 일어날 가능성을 말로 표현하고 비교하기	2일 차	/12개	/8분
③ 일이 일어날 가능성을 수로 표현하기	3일 차	/9개	/7분
④ 평균과 자료의 값 비교하기	4일 차	/10개	/10분
⑤ 두 집단의 평균 비교하기			

◆ 맞힌 개수와 걸린 시간을 작성해 보세요.

학습 내용	일 차	맞힌 개수	걸린 시간
⑥ 평균과 자료의 수를 알 때, 자료의 값의 합 구하기	5일 차	/12개	/12분
⑦ 평균과 자료의 수를 알 때, 모르는 자료의 값 구하기			
⑧ 일이 일어날 가능성을 회전판에 나타내기	6일 차	/10개	/11분
평가 **6. 평균과 가능성**	7일 차	/14개	/17분

평균

자료의 값을 모두 더해
자료의 수로 나눈 값으로
자료를 대표하는 값
➡ 평균

> **(평균)**
> =(자료의 값을 모두 더한 수)
> ÷(자료의 수)

● 평균

평균: 자료의 값을 모두 더해 자료의 수로
　　　 나눈 값으로 자료를 대표하는 값

(평균)＝(자료의 값을 모두 더한 수)÷(자료의 수)

예 넣은 화살 수의 평균 구하기

넣은 화살 수

이름	준기	민영	지현
화살 수(개)	7	2	3

• (넣은 화살 수의 합)＝7＋2＋3＝12(개)
• (학생 수)＝3명
⇨ (넣은 화살 수의 평균)＝12÷3＝4(개)

○ 표를 보고 자료의 평균을 구해 보시오.

① 제기차기 기록

이름	민우	서현	사랑	준희
기록(개)	10	7	9	14

(　　　　　　)

② 요일별 최고 기온

요일	월	화	수	목
기온(℃)	21	23	22	18

(　　　　　　)

③ 읽은 책 수

이름	승훈	지윤	예은	소진
책 수(권)	32	45	24	51

(　　　　　　)

④ 몸무게

이름	민규	빛나	환희	예나
몸무게(kg)	43	39	46	40

(　　　　　　)

⑤ 제자리멀리뛰기 기록

이름	정현	도훈	지영	연지
기록(cm)	146	154	135	149

(　　　　　　)

⑥ 과수원별 사과 수확량

과수원	가	나	다	라
수확량(kg)	205	230	245	220

(　　　　　　)

⑦ 100 m 달리기 기록

이름	정주	다정	서준	혜연	시후
기록(초)	14	16	21	19	15

( )

⑪ 운동한 시간

요일	월	화	수	목	금
운동 시간 (분)	87	74	76	80	88

( )

⑧ 반별 학생 수

반	1반	2반	3반	4반	5반
학생 수(명)	29	25	24	26	21

( )

⑫ 키

이름	수현	정아	준수	승욱	지은
키(cm)	142	146	141	134	137

( )

⑨ 독서한 시간

이름	동희	진우	한솔	은희	지효
독서 시간 (분)	54	61	50	58	72

( )

⑬ 월별 서점 방문자 수

월	3월	4월	5월	6월	7월
방문자 수 (명)	160	180	170	140	190

( )

⑩ 수학 단원 평가 점수

단원	1단원	2단원	3단원	4단원	5단원
점수(점)	75	70	80	85	75

( )

⑭ 마신 우유의 양

이름	주영	성현	윤서	소희	수아
우유의 양 (mL)	250	285	270	315	255

( )

- 일이 일어날 가능성을 말로 표현하고 비교하기
- **가능성**: 어떠한 상황에서 특정한 일이 일어나길 기대할 수 있는 정도
- 가능성의 정도는 불가능하다, ~아닐 것 같다, 반반이다, ~일 것 같다, 확실하다 등으로 표현할 수 있습니다.

예 동전을 던지면 숫자 면이 나올 가능성을 말로 표현하기

⇨ 동전은 숫자 면 또는 그림 면이 있으므로 숫자 면이 나올 가능성은 '반반이다'입니다.

일이 일어날 가능성이 낮다 ←

→ 일이 일어날 가능성이 높다

불가능 하다	~아닐 것 같다	반반 이다	~일 것 같다	확실 하다

◎ 일이 일어날 가능성을 알맞게 표현한 곳에 ◯표 하시오.

① 주사위를 굴리면 주사위의 눈의 수가 짝수로 나올 것입니다.

불가능 하다	~아닐 것 같다	반반 이다	~일 것 같다	확실 하다

② 고양이가 알을 낳을 것입니다.

불가능 하다	~아닐 것 같다	반반 이다	~일 것 같다	확실 하다

③ 오늘이 화요일이니까 내일은 수요일이 될 것입니다.

불가능 하다	~아닐 것 같다	반반 이다	~일 것 같다	확실 하다

④ 다음 주에는 일주일 내내 비가 올 것입니다.

불가능 하다	~아닐 것 같다	반반 이다	~일 것 같다	확실 하다

⑤ 빨간색 사탕은 딸기 맛일 것입니다.

불가능 하다	~아닐 것 같다	반반 이다	~일 것 같다	확실 하다

⑥ 오늘 학교에 전학생이 올 것입니다.

불가능 하다	~아닐 것 같다	반반 이다	~일 것 같다	확실 하다

○ 초록색과 노란색으로 이루어진 회전판을 보고 물음에 답하시오.

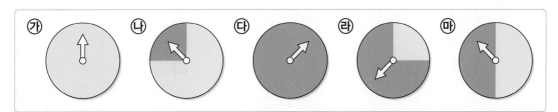

7 화살이 초록색에 멈추는 것이 확실한 회전판을 찾아 써 보시오.

( )

8 회전판 ㉣와 회전판 ㉤ 중에서 화살이 초록색에 멈출 가능성이 더 높은 회전판을 찾아 써 보시오.

( )

9 화살이 초록색에 멈출 가능성이 낮은 회전판부터 차례대로 써 보시오.

( )

○ 파란색과 빨간색으로 이루어진 회전판을 보고 물음에 답하시오.

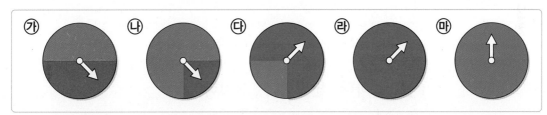

10 화살이 빨간색에 멈추는 것이 불가능한 회전판을 찾아 써 보시오.

( )

11 회전판 ㉯와 회전판 ㉡ 중에서 화살이 빨간색에 멈출 가능성이 더 낮은 회전판을 찾아 써 보시오.

( )

12 화살이 빨간색에 멈출 가능성이 높은 회전판부터 차례대로 써 보시오.

( )

불가능하다 → 0

반반이다 → $\frac{1}{2}$

확실하다 → 1

• 일이 일어날 가능성을 수로 표현하기

불가능하다	반반이다	확실하다
0	$\frac{1}{2}$	1

예 ○× 문제를 풀 때 ×라고 답했을 때,
정답을 맞혔을 가능성을 수로 표현하기

⇨ 정답을 맞혔을 가능성은 $\frac{1}{2}$ 입니다.

○ 주사위를 한 번 굴렸습니다. 알맞은 말과 수에 ○표 하시오.

❶

주사위의 눈의 수가 3 이하로 나올 가능성

• 말로 표현하기 ⇨ (불가능하다 , 반반이다 , 확실하다)

• 수로 표현하기 ⇨ (0 , $\frac{1}{2}$, 1)

❷

주사위의 눈의 수가 6보다 큰 수로 나올 가능성

• 말로 표현하기 ⇨ (불가능하다 , 반반이다 , 확실하다)

• 수로 표현하기 ⇨ (0 , $\frac{1}{2}$, 1)

❸

주사위의 눈의 수가 1 이상으로 나올 가능성

• 말로 표현하기 ⇨ (불가능하다 , 반반이다 , 확실하다)

• 수로 표현하기 ⇨ (0 , $\frac{1}{2}$, 1)

○ 일이 일어날 가능성을 수로 표현해 보시오.

4
흰색 공만 들어 있는 주머니에서
공을 1개 꺼냈을 때, 꺼낸 공이 흰색일 가능성
⇨ (   )

5
주사위를 한 번 굴렸을 때,
주사위의 눈의 수가 8이 나올 가능성
⇨ (   )

6
제비 4개 중 당첨 제비가 2개인 상자에서
제비 1개를 뽑았을 때, 뽑은 제비가 당첨 제비일 가능성
⇨ (   )

7
초록색 구슬 6개가 들어 있는 주머니에서
구슬 1개를 꺼냈을 때, 꺼낸 구슬이 빨간색일 가능성
⇨ (   )

8
하트 카드 3장, 별 카드 3장을 섞어 카드 1장을
골랐을 때, 고른 카드가 하트 카드일 가능성
⇨ (   )

9
검은색 바둑돌만 들어 있는 통에서
바둑돌 1개를 꺼낼 때, 꺼낸 바둑돌이 검은색일 가능성
⇨ (   )

(자료의 값) > (평균)

자료의 값이
높은 편 / **많은** 편

(자료의 값) < (평균)

자료의 값이
낮은 편 / **적은** 편

● 지효의 턱걸이 기록은 모둠에서
  높은 편인지, 낮은 편인지 구하기

지효네 모둠의 턱걸이 기록

이름	지효	상현	선호
기록(개)	8	3	10

(턱걸이 기록의 평균)
$= (8+3+10) \div 3 = 7(개)$
⇨ 8개 > 7개이므로 지효의 턱걸이 기록은
  지효   평균
  높은 편입니다.

○ 표를 보고 알맞은 말에 ○표 하시오.

①
은주네 모둠의 줄넘기 기록

이름	은주	민기	유림	정호
기록(개)	10	13	12	9

은주의 줄넘기 기록은 (높은 , 낮은)
편입니다.

④
반별 학생 수

반	1반	2반	3반	4반	5반
학생 수(명)	24	32	28	31	35

3반의 학생 수는 (많은 , 적은) 편입니다.

②
수지네 모둠이 읽은 동화책 수

이름	호준	수지	태현	민아
책 수(권)	14	15	19	8

수지가 읽은 동화책 수는 (많은 , 적은)
편입니다.

⑤
과목별 점수

과목	국어	영어	수학	사회	과학
점수(점)	82	83	95	87	93

영어 점수는 (높은 , 낮은) 편입니다.

③
요일별 최고 기온

요일	월	화	수	목
기온(℃)	18	16	20	22

수요일의 최고 기온은 (높은 , 낮은)
편입니다.

⑥
민희네 모둠의 멀리뛰기 기록

이름	민희	보라	소진	은서	준호
기록(cm)	283	271	320	312	304

준호의 멀리뛰기 기록은 (높은 , 낮은)
편입니다.

5 두 집단의 평균 비교하기

두 모둠의 평균을 비교했을 때,

평균이 더 큰 모둠이
더 잘한 모둠이야!

● 두 모둠이 축구 경기를 하여 얻은 점수를 나타낸 표를 보고, 어느 모둠이 더 잘했다고 볼 수 있는지 구하기

승우네 모둠

회	1회	2회	3회
점수(점)	5	4	6

연서네 모둠

회	1회	2회	3회	4회
점수(점)	3	2	4	7

· (승우네 모둠의 축구 점수의 평균)=(5+4+6)÷3=5(점)
· (연서네 모둠의 축구 점수의 평균)
  =(3+2+4+7)÷4=4(점)
➪ 축구 점수의 평균이 5점>4점이므로
  승우네   연서네
  승우네 모둠이 더 잘했다고 볼 수 있습니다.

○ 두 모둠이 경기를 하여 얻은 점수를 나타낸 표입니다. 어느 모둠이 더 잘했다고 볼 수 있는지 구해 보시오.

❼ 애라네 모둠의 야구 점수

회	1회	2회	3회
점수(점)	9	5	7

진아네 모둠의 야구 점수

회	1회	2회	3회	4회
점수(점)	7	6	8	11

(   )

❾ 영희네 모둠의 양궁 점수

회	1회	2회	3회	4회
점수(점)	24	28	29	23

지수네 모둠의 양궁 점수

회	1회	2회	3회	4회	5회
점수(점)	27	23	25	24	21

(   )

❽ 슬기네 모둠의 농구 점수

회	1회	2회	3회
점수(점)	18	26	13

서우네 모둠의 농구 점수

회	1회	2회	3회	4회
점수(점)	16	17	14	21

(   )

❿ 민주네 모둠의 사격 점수

회	1회	2회	3회	4회
점수(점)	38	44	47	43

상희네 모둠의 사격 점수

회	1회	2회	3회	4회	5회
점수(점)	45	49	46	39	41

(   )

6 평균과 자료의 수를 알 때, 자료의 값의 합 구하기

(평균)
=(자료의 값을 모두 더한 수)÷(자료의 수)

↓

(자료의 값을 모두 더한 수)
=(평균)×(자료의 수)

● 준서가 6개월 동안 한 달에 읽은 책의 평균이 2권일 때, 6개월 동안 읽은 책의 수 구하기

(6개월 동안 읽은 책 수)
=(평균)×(읽은 개월 수)
=2×6=12(권)

---

❶ 승희가 7일 동안 하루에 먹은 아몬드 수의 평균이 17개일 때, 7일 동안 먹은 아몬드는 모두 몇 개입니까?

(   )

❷ 서영이네 학교 통학 버스 5대에 탄 학생 수의 평균이 41명일 때, 버스 5대에 탄 학생은 모두 몇 명입니까?

(   )

❸ 윤수가 8일 동안 하루에 운동한 시간의 평균이 39분일 때, 8일 동안 운동한 시간은 모두 몇 분입니까?

(   )

❹ 어느 동아리 회원 9명의 몸무게의 평균이 52 kg일 때, 9명의 몸무게의 합은 모두 몇 kg입니까?

(   )

❺ 정호네 모둠 6명의 줄넘기 기록의 평균이 86개일 때, 6명의 줄넘기 기록의 합은 모두 몇 개입니까?

(   )

❻ 주연이가 4개월 동안 한 달에 저금한 금액의 평균이 16000원일 때, 4개월 동안 저금한 금액은 모두 얼마입니까?

(   )

7 평균과 자료의 수를 알 때, 모르는 자료의 값 구하기

(평균)
=(자료의 값을 모두 더한 수)÷(자료의 수)

↓

(자료의 값을 모두 더한 수)=(평균)×(자료의 수)
⇨ **(모르는 자료의 값)**
  =(자료의 값을 모두 더한 수)−(주어진 자료의 값)

● 반별 학생 수의 평균이 23명일 때,
3반의 학생 수 구하기

반별 학생 수

반	1반	2반	3반
학생 수(명)	24	20	

(전체 학생 수)=23×3=69(명)
⇨ (3반 학생 수)
  =69−24−20=25(명)

○ 자료의 평균이 다음과 같을 때, 빈칸에 알맞은 수를 써넣으시오.

7 전학생 수의 평균: 16명

전학생 수

학년	3학년	4학년	5학년	6학년
전학생 수(명)	17		14	18

10 과목별 점수의 평균: 89점

과목별 점수

과목	국어	수학	사회	과학
점수(점)	84	97		92

8 공 던지기 기록의 평균: 32 m

공 던지기 기록

회	1회	2회	3회	4회
기록(m)	26	41		35

11 혜리네 모둠 학생들의 키의 평균: 143 cm

혜리네 모둠 학생들의 키

이름	혜리	보라	주혁	우성
키(cm)		148	139	144

9 학생들이 가지고 있는 구슬 수의 평균: 55개

학생들이 가지고 있는 구슬 수

이름	지용	정연	유리	수호
구슬 수(개)	62	51	50	

12 과수원별 배 수확량의 평균: 230 kg

과수원별 배 수확량

과수원	가	나	다	라
수확량(kg)	180		240	265

회전판에
색칠된 부분이 넓을수록
일이 일어날
가능성이 높아!

● 조건 에 알맞게 회전판 색칠하기

조건

화살이 파란색에 멈출 가능성은 빨간색에 멈출 가능성보다 높습니다.

● 더 넓은 곳에 파란색을 칠합니다.
● 파란색을 칠하고 나머지 부분에 빨간색을 칠합니다.

○ 조건 에 알맞은 회전판이 되도록 색칠해 보시오.

① 조건

• 화살이 빨간색에 멈출 가능성이 가장 높습니다.
• 화살이 노란색에 멈출 가능성은 초록색에 멈출 가능성과 같습니다.

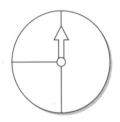

③ 조건

• 화살이 파란색에 멈출 가능성이 가장 낮습니다.
• 화살이 노란색에 멈출 가능성은 빨간색에 멈출 가능성과 같습니다.

② 조건

• 화살이 초록색에 멈출 가능성이 가장 높습니다.
• 화살이 노란색에 멈출 가능성은 파란색에 멈출 가능성의 2배입니다.

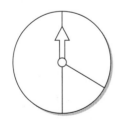

④ 조건

• 화살이 노란색에 멈출 가능성이 가장 높습니다.
• 화살이 초록색에 멈출 가능성은 빨간색에 멈출 가능성의 3배입니다.

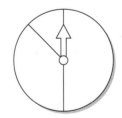

○ 다음은 회전판을 60번 돌려 화살이 멈춘 횟수를 나타낸 표입니다.
표를 보고 일이 일어날 가능성이 가장 비슷한 회전판을 찾아 기호를 써 보시오.

5

색깔	빨간색	노란색	파란색
횟수(회)	20	19	21

( )

8

색깔	주황색	초록색	보라색
횟수(회)	15	29	16

( )

6

색깔	빨간색	노란색	파란색
횟수(회)	19	32	9

( )

9

색깔	주황색	초록색	보라색
횟수(회)	18	20	22

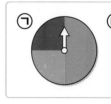

( )

7

색깔	빨간색	노란색	파란색
횟수(회)	7	45	8

( )

10

색깔	주황색	초록색	보라색
횟수(회)	6	23	31

( )

○ 표를 보고 자료의 평균을 구해 보시오.

1 탁구 동아리 회원의 나이

이름	유미	진희	영수	소현
나이(살)	12	14	15	11

(　　　　　　　)

2 컴퓨터 사용 시간

요일	월	화	수	목
사용 시간 (분)	44	56	64	52

(　　　　　　　)

3 윗몸 말아 올리기 기록

이름	지현	승호	선미	유진	고은
기록(회)	42	54	38	53	43

(　　　　　　　)

4 마을별 쓰레기 배출량

마을	가	나	다	라	마
배출량 (kg)	234	215	294	249	243

(　　　　　　　)

○ 일이 일어날 가능성을 알맞게 표현한 곳에 ◯표 하시오.

5 동물원에 살아 있는 공룡이 있을 것입니다.

불가능 하다	~아닐 것 같다	반반 이다	~일 것 같다	확실 하다

6 내년에는 10월이 3월보다 늦게 올 것입니다.

불가능 하다	~아닐 것 같다	반반 이다	~일 것 같다	확실 하다

○ 일이 일어날 가능성을 수로 표현해 보시오.

7 100원짜리 동전을 던졌을 때, 그림 면이 나올 가능성

(　　　　　　　)

8 노란색 카드 4장 중에서 카드 1장을 뽑았을 때, 뽑은 카드가 파란색 카드일 가능성

(　　　　　　　)

9 미나네 모둠의 붙임딱지 수를 나타낸 표입니다. 알맞은 말에 ◯표 하시오.

미나네 모둠의 붙임딱지 수

이름	미나	세정	창희	태호
붙임딱지 수(개)	35	32	37	40

⇨ 미나의 붙임딱지 수는 (많은 , 적은) 편입니다.

10 준호네 모둠과 선우네 모둠의 단체 줄넘기 기록을 나타낸 표입니다. 어느 모둠이 더 잘했다고 볼 수 있습니까?

준호네 모둠의 단체 줄넘기 기록

회	1회	2회	3회	4회
기록(개)	15	13	11	17

선우네 모둠의 단체 줄넘기 기록

회	1회	2회	3회	4회	5회
기록(개)	14	16	10	12	13

(   )

11 진우가 7일 동안 하루에 푼 수학 문제 수의 평균이 24개일 때, 7일 동안 푼 수학 문제는 모두 몇 개입니까?

(   )

○ 자료의 평균이 다음과 같을 때, 빈칸에 알맞은 수를 써넣으시오.

12

반별 안경을 쓴 학생 수의 평균: 15명

반별 안경을 쓴 학생 수

반	1반	2반	3반	4반
학생 수(명)	10	12		20

13

월별 도서관 방문자 수의 평균: 320명

월별 도서관 방문자 수

월	1월	2월	3월	4월	5월
방문자 수(명)	340		280	300	320

14 조건 에 알맞은 회전판이 되도록 색칠해 보시오.

조건
• 화살이 파란색에 멈출 가능성이 가장 높습니다.
• 화살이 초록색에 멈출 가능성은 노란색에 멈출 가능성의 2배입니다.

초등수학

5·2

개념 +PLUS 연산 파워

정답과 풀이

 책 속의 가접 별책 (특허 제 0557442호)

'정답과 풀이'는 본책에서 쉽게 분리할 수 있도록 제작되었으므로
유통 과정에서 분리될 수 있으나 파본이 아닌 정상제품입니다.

정답과 풀이
QR코드

ABOVE IMAGINATION

우리는 남다른 상상과 혁신으로
교육 문화의 새로운 전형을 만들어
모든 이의 행복한 경험과 성장에 기여한다

개념+연산 파워

정답과 풀이

초등수학

5·2

1. 수의 범위와 어림하기

① 이상, 이하

8쪽

❶ 16, 17
❷ 40, 35
❸ 52.5, 55
❹ 70, 71.1

❺ 23, 26
❻ 34, 41
❼ 68.2, 65.1
❽ 83, 82.5

9쪽

❾ 10.8, 8, 14
❿ 21, 19.3, 15
⓫ 20.7, 29, 27
⓬ 43, 39.6, 34
⓭ 50.5, 46, 49

⓮ 60, 58, 64.9
⓯ 65.5, 63, 68
⓰ 76.9, 72, 77
⓱ 82, 88, 83.5
⓲ 94.1, 90, 89.2

② 초과, 미만

10쪽

❶ 9, 11
❷ 33, 30
❸ 48, 46.7
❹ 62, 61.1

❺ 13, 14
❻ 32, 29
❼ 54, 51.3
❽ 78, 82.9

11쪽

❾ 5, 8, 6.9
❿ 20.6, 18, 16
⓫ 26, 22.2, 25
⓬ 35.3, 34, 32.7
⓭ 51.5, 50, 47

⓮ 58, 57, 63.9
⓯ 68, 70, 69.1
⓰ 80, 83.4, 79.7
⓱ 84, 81.6, 86
⓲ 95, 88.4, 91.9

③ 이상과 미만, 초과와 이하

12쪽

❶ 10, 4
❷ 30, 28
❸ 48, 50
❹ 60, 64

❺ 19, 18
❻ 32, 37
❼ 59, 62
❽ 77, 76

13쪽

❾ 20.3, 21, 19
❿ 38, 44.8, 39.5
⓫ 52, 58.1, 54
⓬ 80, 86.8, 85
⓭ 90.2, 88, 83

⓮ 23, 21.4, 28
⓯ 49.8, 51, 50.9
⓰ 65.5, 70, 68
⓱ 82.4, 81, 79
⓲ 90.5, 93, 87.8

④ 올림

14쪽

❶ 110
❷ 300
❸ 730
❹ 900
❺ 1240
❻ 3100
❼ 6000
❽ 8610

15쪽

❾ 13300
❿ 26000
⓫ 40800
⓬ 70000
⓭ 80000
⓮ 94000
⓯ 0.7
⓰ 2
⓱ 3.08
⓲ 5.5
⓳ 7
⓴ 8.71

⑤ 버림

16쪽

❶ 100
❷ 300
❸ 500
❹ 640
❺ 3000
❻ 4500
❼ 7600
❽ 9000

17쪽

❾ 16270
❿ 29100
⓫ 40000
⓬ 52000
⓭ 68300
⓮ 70000
⓯ 0.34
⓰ 1.7
⓱ 2
⓲ 4.61
⓳ 7
⓴ 8.9

⑥ 반올림

18쪽

❶ 190
❷ 300
❸ 470
❹ 700
❺ 3400
❻ 5290
❼ 6000
❽ 8600

19쪽

❾ 25360
❿ 40000
⓫ 47900
⓬ 64000
⓭ 70000
⓮ 90000
⓯ 0.2
⓰ 2.05
⓱ 4
⓲ 5.8
⓳ 8
⓴ 9.6

20쪽

❶ 13, 14, 15, 16
❷ 27, 28
❸ 31, 32, 33
❹ 48, 49
❺ 60, 61, 62
❻ 68, 69, 70, 71
❼ 85, 86, 87, 88, 89
❽ 91, 92, 93, 94, 95, 96

21쪽

❾ 60, 70
❿ 200, 300
⓫ 440, 450
⓬ 500, 600
⓭ 1000, 2000
⓮ 7800, 7900

❶ 수직선에 나타낸 수의 범위: 13과 같거나 크고 16과 같거나 작은 수
⇨ 13 이상 16 이하인 자연수: 13, 14, 15, 16
❷ 수직선에 나타낸 수의 범위: 26보다 크고 29보다 작은 수
⇨ 26 초과 29 미만인 자연수: 27, 28
❸ 수직선에 나타낸 수의 범위: 31과 같거나 크고 34보다 작은 수
⇨ 31 이상 34 미만인 자연수: 31, 32, 33
❹ 수직선에 나타낸 수의 범위: 47보다 크고 49와 같거나 작은 수
⇨ 47 초과 49 이하인 자연수: 48, 49
❺ 수직선에 나타낸 수의 범위: 59보다 크고 63보다 작은 수
⇨ 59 초과 63 미만인 자연수: 60, 61, 62
❻ 수직선에 나타낸 수의 범위: 67보다 크고 71과 같거나 작은 수
⇨ 67 초과 71 이하인 자연수: 68, 69, 70, 71
❼ 수직선에 나타낸 수의 범위: 85와 같거나 크고 89와 같거나 작은 수
⇨ 85 이상 89 이하인 자연수: 85, 86, 87, 88, 89
❽ 수직선에 나타낸 수의 범위: 91과 같거나 크고 97보다 작은 수
⇨ 91 이상 97 미만인 자연수: 91, 92, 93, 94, 95, 96

❾ 올림하여 십의 자리까지 나타내면 70이 되는 수의 범위:
60보다 크고 70과 같거나 작은 수 ⇨ 60 초과 70 이하
❿ 올림하여 백의 자리까지 나타내면 300이 되는 수의 범위:
200보다 크고 300과 같거나 작은 수 ⇨ 200 초과 300 이하
⓫ 올림하여 십의 자리까지 나타내면 450이 되는 수의 범위:
440보다 크고 450과 같거나 작은 수 ⇨ 440 초과 450 이하
⓬ 올림하여 백의 자리까지 나타내면 600이 되는 수의 범위:
500보다 크고 600과 같거나 작은 수 ⇨ 500 초과 600 이하
⓭ 올림하여 천의 자리까지 나타내면 20000이 되는 수의 범위:
1000보다 크고 2000과 같거나 작은 수 ⇨ 1000 초과 2000 이하
⓮ 올림하여 백의 자리까지 나타내면 79000이 되는 수의 범위:
7800보다 크고 7900과 같거나 작은 수 ⇨ 7800 초과 7900 이하

22쪽

❶ 90, 100
❷ 200, 300
❸ 510, 520
❹ 800, 900
❺ 6000, 7000
❻ 8700, 8800

23쪽

❼ 35, 45
❽ 450, 550
❾ 695, 705
❿ 850, 950
⓫ 2500, 3500
⓬ 6250, 6350

❶ 버림하여 십의 자리까지 나타내면 90이 되는 수의 범위:
90과 같거나 크고 100보다 작은 수 ⇨ 90 이상 100 미만
❷ 버림하여 백의 자리까지 나타내면 200이 되는 수의 범위:
200과 같거나 크고 300보다 작은 수 ⇨ 200 이상 300 미만
❸ 버림하여 십의 자리까지 나타내면 510이 되는 수의 범위:
510과 같거나 크고 520보다 작은 수 ⇨ 510 이상 520 미만
❹ 버림하여 백의 자리까지 나타내면 800이 되는 수의 범위:
800과 같거나 크고 900보다 작은 수 ⇨ 800 이상 900 미만
❺ 버림하여 천의 자리까지 나타내면 60000이 되는 수의 범위:
6000과 같거나 크고 7000보다 작은 수 ⇨ 6000 이상 7000 미만
❻ 버림하여 백의 자리까지 나타내면 87000이 되는 수의 범위:
8700과 같거나 크고 8800보다 작은 수 ⇨ 8700 이상 8800 미만

❼ 반올림하여 십의 자리까지 나타내면 40이 되는 수의 범위:
35와 같거나 크고 45보다 작은 수 ⇨ 35 이상 45 미만
❽ 반올림하여 백의 자리까지 나타내면 500이 되는 수의 범위:
450과 같거나 크고 550보다 작은 수 ⇨ 450 이상 550 미만
❾ 반올림하여 십의 자리까지 나타내면 700이 되는 수의 범위:
695와 같거나 크고 705보다 작은 수 ⇨ 695 이상 705 미만
❿ 반올림하여 백의 자리까지 나타내면 900이 되는 수의 범위:
850과 같거나 크고 950보다 작은 수 ⇨ 850 이상 950 미만
⓫ 반올림하여 천의 자리까지 나타내면 3000이 되는 수의 범위:
2500과 같거나 크고 3500보다 작은 수 ⇨ 2500 이상 3500 미만
⓬ 반올림하여 백의 자리까지 나타내면 63000이 되는 수의 범위:
6250과 같거나 크고 6350보다 작은 수 ⇨ 6250 이상 6350 미만

⑪ 약 얼마인지 구하기

9일차

24쪽

① 십, 790, 790 / 약 790권

② 천, 2000, 2000 / 약 2000명

25쪽

③ 약 4640걸음

④ 약 9700명

⑤ 약 60000원

③ 약 몇십 걸음 걸었는지 구하려면
4637을 반올림하여 십의 자리까지 나타냅니다.

4637 → 4640

⇨ 원효는 약 4640걸음 걸었다고 할 수 있습니다.

④ 관람객이 약 몇백 명이었는지 구하려면
9735를 반올림하여 백의 자리까지 나타냅니다.

9735 → 9700

⇨ 관람객은 약 9700명이었다고 할 수 있습니다.

⑤ 이웃 돕기 성금으로 약 몇만 원 모았는지 구하려면
61940을 반올림하여 만의 자리까지 나타냅니다.

61940 → 60000

⇨ 이웃 돕기 성금으로 약 60000원 모았다고 할 수 있습니다.

⑫ 최소 얼마나 필요한지 구하기

10일차

26쪽

① 십, 120, 12 / 12대

② 백, 600, 6 / 6묶음

27쪽

③ 8장

④ 271번

⑤ 11상자

③ 1000원짜리 지폐로만 장갑 값을 내려고 하므로
7400을 올림하여 천의 자리까지 나타냅니다.

7400 → 8000

⇨ 1000원짜리 지폐를 최소 8장 내야 합니다.

④ 놀이기구를 한 번 운행할 때마다 10명씩 태울 수 있으므로
2701을 올림하여 십의 자리까지 나타냅니다.

2701 → 2710

⇨ 놀이기구를 최소 271번 운행해야 합니다.

⑤ 한 상자에 구슬을 1000개씩 담을 수 있으므로
10080을 올림하여 천의 자리까지 나타냅니다.

10080 → 11000

⇨ 상자는 최소 11상자 필요합니다.

⑬ 최대 얼마인지 구하기

11일차

28쪽

① 십, 280, 28 / 28명

② 백, 700, 7 / 7개

29쪽

③ 9장

④ 63개

⑤ 14봉지

③ 돈이 10000원보다 적으면 10000원짜리 지폐로 바꿀 수 없으므로
97050을 버림하여 만의 자리까지 나타냅니다.

97050 → 90000

⇨ 10000원짜리 지폐로 최대 9장까지 바꿀 수 있습니다.

④ 밀가루가 100 g보다 적으면 빵을 만들 수 없으므로
6305를 버림하여 백의 자리까지 나타냅니다.

6305 → 6300

⇨ 빵을 최대 63개까지 만들 수 있습니다.

⑤ 콩이 1000개보다 적으면 팔 수 없으므로
14299를 버림하여 천의 자리까지 나타냅니다.

14299 → 14000

⇨ 콩을 최대 14봉지까지 팔 수 있습니다.

⑭ 수의 범위 문장제

30쪽

❶ 5, 20 / 6, 24 / 20, 24 / 20명 초과 24명 이하

❷ 9, 72 / 10, 80 / 72, 80 / 72명 초과 80명 이하

❸ •(6상자에 담을 수 있는 초콜릿의 수)=16×6=96(개)
  •(7상자에 담을 수 있는 초콜릿의 수)=16×7=112(개)
  ⇨ 민수가 만든 초콜릿의 수의 범위: 96개 초과 112개 이하
❹ •(케이블카 7대에 탈 수 있는 사람 수)=20×7=140(명)
  •(케이블카 8대에 탈 수 있는 사람 수)=20×8=160(명)
  ⇨ 등산 동호회 사람 수의 범위: 140명 초과 160명 이하

31쪽

❸ 96개 초과 112개 이하

❹ 140명 초과 160명 이하

❺ 450명 초과 495명 이하

❺ •(버스 10대에 탈 수 있는 학생 수)=45×10=450(명)
  •(버스 11대에 탈 수 있는 학생 수)=45×11=495(명)
  ⇨ 동우네 학교 학생 수의 범위: 450명 초과 495명 이하

평가 1. 수의 범위와 어림하기

32쪽

1	12, 15.2	7	570
2	20.9, 16	8	34100
3	41.3, 38	9	740
4	46, 49.5	10	6000
5	73.3, 68	11	2870
6	92.7, 96	12	3

13 수직선에 나타낸 수의 범위: 9보다 크고 13보다 작은 수
   ⇨ 9 초과 13 미만인 자연수: 10, 11, 12
14 올림하여 천의 자리까지 나타내면 9000이 되는 수의 범위:
   8000보다 크고 9000과 같거나 작은 수
   ⇨ 8000 초과 9000 이하
15 버림하여 백의 자리까지 나타내면 4000이 되는 수의 범위:
   4000과 같거나 크고 4100보다 작은 수
   ⇨ 4000 이상 4100 미만
16 반올림하여 십의 자리까지 나타내면 310이 되는 수의 범위:
   305와 같거나 크고 315보다 작은 수
   ⇨ 305 이상 315 미만

33쪽

13	10, 11, 12	17	약 1100명
14	8000 초과 9000 이하	18	39상자
15	4000 이상 4100 미만	19	8장
16	305 이상 315 미만	20	96명 초과 120명 이하

17 민재네 마을에 약 몇백 명 살고 있는지 구하려면
   1062를 반올림하여 백의 자리까지 나타냅니다.
                1062 → 1100
   ⇨ 민재네 마을에는 약 1100명 살고 있다고 할 수 있습니다.
18 한 상자에 공을 10개씩 담을 수 있으므로
   384를 올림하여 십의 자리까지 나타냅니다.
                384 → 390
   ⇨ 상자는 최소 39상자 필요합니다.
19 돈이 1000원보다 적으면 1000원짜리 지폐로 바꿀 수 없으므로
   8150을 버림하여 천의 자리까지 나타냅니다.
                8150 → 8000
   ⇨ 1000원짜리 지폐로 최대 8장까지 바꿀 수 있습니다.
20 •(연필 4묶음으로 나누어 줄 수 있는 학생 수)=24×4=96(명)
   •(연필 5묶음으로 나누어 줄 수 있는 학생 수)=24×5=120(명)
   ⇨ 수영이네 학교 학생 수의 범위: 96명 초과 120명 이하

2. 분수의 곱셈

① (진분수) × (자연수)

36쪽 ❶ 2015 개정 교육과정에서는 계산 결과를 기약분수로 나타내지 않아도 정답으로 인정합니다.

37쪽

① $1\frac{1}{4}$

⑥ 2

⑪ $\frac{3}{4}$

② $1\frac{1}{7}$

⑦ $3\frac{3}{5}$

⑫ $4\frac{3}{8}$

③ $\frac{1}{3}$

⑧ $3\frac{1}{3}$

⑬ $1\frac{1}{9}$

④ $\frac{2}{5}$

⑨ $4\frac{2}{7}$

⑭ $2\frac{2}{3}$

⑤ $\frac{1}{2}$

⑩ 6

⑮ 21

⑯ $1\frac{1}{2}$

㉓ $1\frac{2}{3}$

㉚ $2\frac{5}{6}$

⑰ $6\frac{3}{10}$

㉔ $1\frac{1}{3}$

㉛ $2\frac{2}{17}$

⑱ $3\frac{3}{11}$

㉕ $1\frac{5}{8}$

㉜ $3\frac{3}{5}$

⑲ $1\frac{1}{4}$

㉖ $1\frac{1}{5}$

㉝ $1\frac{2}{3}$

⑳ $1\frac{2}{7}$

㉗ $2\frac{2}{13}$

㉞ $1\frac{19}{37}$

㉑ 4

㉘ $2\frac{2}{3}$

㉟ $1\frac{7}{13}$

㉒ $5\frac{1}{2}$

㉙ $1\frac{2}{7}$

㊱ $2\frac{4}{5}$

② (대분수) × (자연수)

38쪽

39쪽

① 9

⑥ 14

⑪ $5\frac{5}{8}$

② $6\frac{2}{3}$

⑦ $9\frac{4}{5}$

⑫ $9\frac{1}{3}$

③ $3\frac{1}{2}$

⑧ 26

⑬ 34

④ $4\frac{4}{9}$

⑨ $7\frac{2}{3}$

⑭ $11\frac{3}{5}$

⑤ $2\frac{1}{5}$

⑩ $9\frac{1}{7}$

⑮ $4\frac{4}{11}$

⑯ $6\frac{1}{3}$

㉓ $5\frac{3}{4}$

㉚ $14\frac{1}{4}$

⑰ $6\frac{3}{13}$

㉔ $14\frac{2}{3}$

㉛ $2\frac{7}{15}$

⑱ $8\frac{1}{2}$

㉕ $26\frac{1}{2}$

㉜ $8\frac{3}{8}$

⑲ $11\frac{1}{3}$

㉖ $9\frac{2}{3}$

㉝ $6\frac{2}{11}$

⑳ $4\frac{5}{8}$

㉗ $15\frac{1}{5}$

㉞ $19\frac{1}{2}$

㉑ $6\frac{6}{17}$

㉘ $3\frac{21}{26}$

㉟ $10\frac{3}{4}$

㉒ $12\frac{1}{2}$

㉙ $6\frac{4}{9}$

㊱ $14\frac{1}{3}$

③ (자연수) × (진분수)

3일차

40쪽

❶ $1\frac{2}{5}$

❷ $1\frac{1}{3}$

❸ $1\frac{1}{4}$

❹ $1\frac{2}{11}$

❺ $\frac{3}{5}$

❻ $4\frac{1}{2}$

❼ $2\frac{2}{5}$

❽ 6

❾ $3\frac{3}{7}$

❿ $2\frac{6}{7}$

⓫ $3\frac{1}{8}$

⓬ 14

⓭ $7\frac{1}{9}$

⓮ $5\frac{1}{3}$

⓯ $5\frac{2}{5}$

41쪽

⓰ $2\frac{11}{12}$

⓱ $3\frac{6}{13}$

⓲ $3\frac{1}{7}$

⓳ $2\frac{4}{5}$

⓴ $1\frac{7}{8}$

㉑ $2\frac{14}{17}$

㉒ $6\frac{3}{10}$

㉓ $2\frac{2}{11}$

㉔ $1\frac{9}{23}$

㉕ $1\frac{1}{4}$

㉖ $7\frac{1}{5}$

㉗ $1\frac{7}{9}$

㉘ $4\frac{1}{2}$

㉙ $3\frac{3}{10}$

㉚ $2\frac{6}{11}$

㉛ $4\frac{2}{7}$

㉜ $2\frac{7}{19}$

㉝ $2\frac{3}{5}$

㉞ $1\frac{11}{14}$

㉟ $1\frac{7}{9}$

㊱ $3\frac{1}{16}$

④ (자연수) × (대분수)

4일차

42쪽

❶ 10

❷ $3\frac{3}{5}$

❸ $5\frac{5}{7}$

❹ $6\frac{3}{4}$

❺ $4\frac{4}{15}$

❻ 42

❼ $18\frac{2}{3}$

❽ $17\frac{1}{2}$

❾ $5\frac{3}{5}$

❿ $28\frac{1}{2}$

⓫ $3\frac{5}{7}$

⓬ $11\frac{7}{8}$

⓭ $8\frac{1}{3}$

⓮ $10\frac{2}{5}$

⓯ $12\frac{1}{2}$

43쪽

⓰ $4\frac{1}{14}$

⓱ $11\frac{1}{3}$

⓲ $10\frac{1}{4}$

⓳ $4\frac{5}{9}$

⓴ $10\frac{4}{5}$

㉑ $10\frac{5}{7}$

㉒ $9\frac{6}{11}$

㉓ $15\frac{1}{2}$

㉔ $17\frac{2}{5}$

㉕ $4\frac{3}{13}$

㉖ $6\frac{8}{9}$

㉗ $7\frac{13}{14}$

㉘ $4\frac{8}{29}$

㉙ $11\frac{5}{6}$

㉚ $24\frac{1}{4}$

㉛ $15\frac{3}{5}$

㉜ $6\frac{5}{12}$

㉝ $4\frac{14}{19}$

㉞ $7\frac{7}{20}$

㉟ $19\frac{2}{3}$

㊱ $20\frac{8}{9}$

⑤ (진분수) × (진분수)

5일차

44쪽

① $\dfrac{1}{28}$　⑥ $\dfrac{2}{5}$　⑪ $\dfrac{5}{9}$

② $\dfrac{1}{15}$　⑦ $\dfrac{1}{4}$　⑫ $\dfrac{5}{21}$

③ $\dfrac{1}{12}$　⑧ $\dfrac{5}{8}$　⑬ $\dfrac{3}{7}$

④ $\dfrac{1}{56}$　⑨ $\dfrac{2}{35}$　⑭ $\dfrac{3}{10}$

⑤ $\dfrac{1}{36}$　⑩ $\dfrac{1}{2}$　⑮ $\dfrac{3}{4}$

45쪽

⑯ $\dfrac{5}{27}$　㉓ $\dfrac{4}{39}$　㉚ $\dfrac{3}{16}$

⑰ $\dfrac{8}{45}$　㉔ $\dfrac{5}{16}$　㉛ $\dfrac{2}{5}$

⑱ $\dfrac{2}{3}$　㉕ $\dfrac{4}{21}$　㉜ $\dfrac{5}{36}$

⑲ $\dfrac{3}{16}$　㉖ $\dfrac{1}{6}$　㉝ $\dfrac{3}{10}$

⑳ $\dfrac{14}{45}$　㉗ $\dfrac{1}{4}$　㉞ $\dfrac{1}{12}$

㉑ $\dfrac{9}{44}$　㉘ $\dfrac{10}{57}$　㉟ $\dfrac{3}{8}$

㉒ $\dfrac{3}{8}$　㉙ $\dfrac{16}{49}$　㊱ $\dfrac{2}{15}$

⑥ (대분수) × (대분수)

6일차

46쪽

① $1\dfrac{3}{4}$　⑥ $2\dfrac{1}{3}$　⑪ $8\dfrac{1}{2}$

② $1\dfrac{2}{3}$　⑦ 3　⑫ $3\dfrac{5}{24}$

③ $1\dfrac{3}{7}$　⑧ $4\dfrac{1}{8}$　⑬ $3\dfrac{7}{15}$

④ $1\dfrac{1}{2}$　⑨ $2\dfrac{4}{5}$　⑭ $3\dfrac{1}{3}$

⑤ $1\dfrac{2}{3}$　⑩ $3\dfrac{1}{4}$　⑮ $2\dfrac{4}{7}$

47쪽

⑯ $4\dfrac{1}{3}$　㉓ $3\dfrac{3}{16}$　㉚ $2\dfrac{13}{16}$

⑰ 6　㉔ $2\dfrac{1}{2}$　㉛ $3\dfrac{1}{7}$

⑱ $4\dfrac{3}{8}$　㉕ $8\dfrac{2}{11}$　㉜ $3\dfrac{1}{2}$

⑲ $4\dfrac{1}{4}$　㉖ $2\dfrac{22}{27}$　㉝ $4\dfrac{1}{3}$

⑳ $5\dfrac{1}{3}$　㉗ $3\dfrac{3}{4}$　㉞ $2\dfrac{8}{21}$

㉑ $3\dfrac{5}{9}$　㉘ 3　㉟ $5\dfrac{1}{2}$

㉒ $3\dfrac{1}{4}$　㉙ $7\dfrac{9}{13}$　㊱ $4\dfrac{2}{7}$

⑦ 세 분수의 곱셈

48쪽

1. $\dfrac{1}{56}$
2. $\dfrac{1}{27}$
3. $\dfrac{1}{6}$
4. $\dfrac{1}{16}$
5. $\dfrac{1}{24}$
6. $\dfrac{3}{7}$
7. $\dfrac{35}{72}$
8. $\dfrac{4}{21}$
9. $\dfrac{1}{8}$
10. $\dfrac{3}{8}$

49쪽

11. $\dfrac{9}{16}$
12. $\dfrac{11}{14}$
13. $\dfrac{20}{27}$
14. $\dfrac{10}{21}$
15. $\dfrac{2}{5}$
16. $\dfrac{9}{10}$
17. $\dfrac{5}{9}$
18. $2\dfrac{4}{7}$
19. $1\dfrac{17}{18}$
20. $8\dfrac{1}{3}$
21. $2\dfrac{1}{2}$
22. $5\dfrac{1}{3}$
23. $8\dfrac{4}{7}$
24. $5\dfrac{1}{4}$

⑧ 그림에서 분수의 곱셈하기

⑨ 분수의 곱 구하기

50쪽

1. $2\dfrac{1}{2}$ / $\dfrac{1}{3}$
2. $4\dfrac{4}{5}$ / $18\dfrac{2}{3}$
3. $9\dfrac{1}{3}$ / $9\dfrac{1}{6}$
4. $18\dfrac{3}{4}$ / 12
5. $\dfrac{9}{26}$ / $12\dfrac{3}{5}$
6. 9 / $42\dfrac{1}{2}$

51쪽

7. $1\dfrac{1}{2}$
8. $\dfrac{3}{10}$
9. $8\dfrac{1}{3}$
10. $12\dfrac{1}{2}$
11. $\dfrac{8}{21}$
12. $16\dfrac{4}{5}$
13. $6\dfrac{3}{4}$
14. $20\dfrac{5}{6}$

⑩ 시간을 분 단위로, 분을 초 단위로 나타내기

⑪ m를 cm 단위로, L를 mL 단위로 나타내기

52쪽

1. 45
2. 24
3. 35
4. 90
5. 110
6. 40
7. 32
8. 27
9. 75
10. 108

53쪽

11. 25
12. 80
13. 24
14. 170
15. 115
16. 125
17. 750
18. 350
19. 1320
20. 1180

⑫ 분모와 분자가 큰 세 분수의 곱셈

10일 차

54쪽 ❗ 정답을 위에서부터 확인합니다.

❶ 4 / 7, 7 / $\frac{2}{7}$

❸ 6, 7, 5 / 5, 8, 7 / $\frac{3}{8}$

❷ 8, 5 / 9 / $\frac{2}{9}$

❹ 8, 7, 4 / 9, 8, 7 / $\frac{8}{63}$

55쪽

❺ 9, 8, 7 / 8, 7, 9 / $\frac{6}{25}$

❽ 9, 7, 8 / 8, 5, 9 / $\frac{2}{9}$

❻ 8, 7, 5 / 7, 8, 8 / $\frac{15}{64}$

❾ 8, 5, 7 / 9, 9, 8 / $\frac{10}{81}$

❼ 9, 7, 5 / 8, 9, 7 / $\frac{15}{56}$

❿ 7, 9, 8 / 9, 8, 9 / $\frac{25}{72}$

⑬ 수 카드로 곱이 가장 크거나 가장 작은 단위분수의 곱셈식 만들기

⑭ 수 카드로 만든 가장 큰 대분수와 가장 작은 대분수의 곱 구하기

11일 차

56쪽

❶ 2, 3(또는 3, 2), $\frac{1}{6}$ / 8, 6(또는 6, 8), $\frac{1}{48}$

❷ 3, 4(또는 4, 3), $\frac{1}{12}$ / 9, 7(또는 7, 9), $\frac{1}{63}$

❸ 4, 5(또는 5, 4), $\frac{1}{20}$ / 8, 7(또는 7, 8), $\frac{1}{56}$

❹ 5, 6(또는 6, 5), $\frac{1}{30}$ / 9, 8(또는 8, 9), $\frac{1}{72}$

57쪽

❺ $5\frac{1}{2} \times 1\frac{2}{5} = 7\frac{7}{10}$

❽ $7\frac{1}{2} \times 1\frac{2}{7} = 9\frac{9}{14}$

❻ $4\frac{1}{3} \times 1\frac{3}{4} = 7\frac{7}{12}$

❾ $4\frac{2}{3} \times 2\frac{3}{4} = 12\frac{5}{6}$

❼ $5\frac{1}{4} \times 1\frac{4}{5} = 9\frac{9}{20}$

❿ $7\frac{1}{3} \times 1\frac{3}{7} = 10\frac{10}{21}$

⑮ 분수의 곱셈 문장제

12일 차

58쪽

❶ $\frac{3}{4}$, 8, 6 / 6판

❷ $1\frac{5}{6}$, 3, $5\frac{1}{2}$ / $5\frac{1}{2}$ kg

59쪽

❸ $\frac{3}{20} \times 15 = 2\frac{1}{4}$ / $2\frac{1}{4}$ L

❹ $9000 \times 1\frac{2}{3} = 15000$ / 15000원

❺ $2\frac{2}{5} \times 2\frac{7}{9} = 6\frac{2}{3}$ / $6\frac{2}{3}$ kg

❸ (15명에게 나누어 주는 데 필요한 우유의 양)
= (한 명에게 나누어 주는 우유의 양)×(사람 수)
= $\frac{3}{20} \times 15 = 2\frac{1}{4}$(L)

❹ (주말 영화 관람료)
= (평일 영화 관람료)×$1\frac{2}{3}$
= $9000 \times 1\frac{2}{3} = 15000$(원)

❺ (큰 상자에 들어 있는 귤의 무게)
= (작은 상자에 들어 있는 귤의 무게)×$2\frac{7}{9}$
= $2\frac{2}{5} \times 2\frac{7}{9} = 6\frac{2}{3}$(kg)

60쪽

❶ $\dfrac{7}{8}$, $\dfrac{4}{5}$, $\dfrac{7}{10}$ / $\dfrac{7}{10}$ m

❷ 36, $\dfrac{5}{9}$, 20 / 20명

61쪽

❸ $14 \times \dfrac{7}{10} = 9\dfrac{4}{5}$ / $9\dfrac{4}{5}$ km

❹ $\dfrac{9}{16} \times \dfrac{2}{3} = \dfrac{3}{8}$ / $\dfrac{3}{8}$ m²

❺ $16 \times \dfrac{11}{12} = 14\dfrac{2}{3}$ / $14\dfrac{2}{3}$ L

❸ (영호가 버스를 타고 간 거리)
   =(영호네 집에서 할머니 댁까지의 거리)×(버스를 타고 간 부분)
   $= 14 \times \dfrac{7}{10} = 9\dfrac{4}{5}$ (km)

❹ (사용한 색종이의 넓이)
   =(처음에 있던 색종이의 넓이)×(사용한 색종이의 부분)
   $= \dfrac{9}{16} \times \dfrac{2}{3} = \dfrac{3}{8}$ (m²)

❺ $\left(\text{수도에서 } \dfrac{11}{12}\text{시간 동안 받은 물의 양}\right)$
   =(수도에서 1시간 동안 나오는 물의 양)×(물을 받은 시간)
   $= 16 \times \dfrac{11}{12} = 14\dfrac{2}{3}$ (L)

62쪽

❶ $\dfrac{1}{6}$ / $\dfrac{1}{6}$, $\dfrac{5}{8}$ / $\dfrac{1}{48}$

63쪽

❷ $\dfrac{2}{5} \times \dfrac{1}{4} \times \dfrac{3}{8} = \dfrac{3}{80}$ / $\dfrac{3}{80}$

❸ $\dfrac{3}{4} \times \dfrac{7}{9} \times \dfrac{4}{7} = \dfrac{1}{3}$ / $\dfrac{1}{3}$

❹ $\dfrac{4}{5} \times \dfrac{7}{8} \times \dfrac{5}{6} = \dfrac{7}{12}$ / $\dfrac{7}{12}$

❷ (전체 공 중 바람이 빠진 주황색 탁구공 부분)
   =(전체 공 중 주황색 탁구공 부분)
      ×(주황색 탁구공 중 바람이 빠진 탁구공 부분)
   $= \dfrac{2}{5} \times \dfrac{1}{4} \times \dfrac{3}{8} = \dfrac{3}{80}$

❸ (전체 밭 중 배추를 수확한 밭 부분)
   =(전체 밭 중 배추를 심은 밭 부분)
      ×(배추를 심은 밭 중 배추를 수확한 밭 부분)
   $= \dfrac{3}{4} \times \dfrac{7}{9} \times \dfrac{4}{7} = \dfrac{1}{3}$

❹ (전체 입장객 중 6세 미만인 남자 어린이 입장객 부분)
   =(전체 입장객 중 6세 미만인 어린이 입장객 부분)
      ×(6세 미만인 어린이 입장객 중 남자 어린이 입장객 부분)
   $= \dfrac{4}{5} \times \dfrac{7}{8} \times \dfrac{5}{6} = \dfrac{7}{12}$

⑱ 남는 양을 이용하여 구하기

64쪽

❶ $\frac{6}{7}$, $\frac{1}{7}$ / $\frac{1}{7}$, $\frac{1}{14}$ / $\frac{1}{14}$

❷ $\frac{1}{4}$, $\frac{3}{4}$ / $\frac{3}{4}$, $\frac{1}{6}$ / $\frac{1}{6}$

65쪽

❸ $\frac{4}{35}$

❹ $\frac{5}{18}$

❺ $\frac{7}{16}$

❸ (고추를 심고 남은 밭의 양)$=1-\frac{3}{5}=\frac{2}{5}$

⇨ (전체 밭 중 마늘을 심은 밭의 양)

$=\frac{2}{5}\times\frac{2}{7}=\frac{4}{35}$

❹ (어제 먹고 남은 케이크의 양)$=1-\frac{5}{9}=\frac{4}{9}$

⇨ (전체 케이크 중 오늘 먹은 케이크의 양)

$=\frac{4}{9}\times\frac{5}{8}=\frac{5}{18}$

❺ (경세에게 주고 남은 실의 양)$=1-\frac{3}{8}=\frac{5}{8}$

⇨ (전체 실 중 미술 시간에 사용한 실의 양)

$=\frac{5}{8}\times\frac{7}{10}=\frac{7}{16}$

66쪽

1 $2\frac{1}{7}$

2 $2\frac{1}{4}$

3 $6\frac{1}{2}$

4 $6\frac{2}{5}$

5 $7\frac{1}{2}$

6 $2\frac{2}{3}$

7 $11\frac{2}{3}$

8 $25\frac{1}{2}$

9 $\frac{4}{9}$

10 $\frac{9}{16}$

11 $4\frac{1}{12}$

12 $3\frac{3}{4}$

13 $\frac{4}{27}$

14 $5\frac{1}{2}$

67쪽

15 1500

16 $80\times\frac{7}{40}=14$ / 14개

17 $1\frac{4}{7}\times1\frac{5}{9}=2\frac{4}{9}$ /

$2\frac{4}{9}$ kg

18 9, 6(또는 6, 9), $\frac{1}{54}$

19 $\frac{4}{9}\times\frac{2}{3}\times\frac{6}{7}=\frac{16}{63}$ /

$\frac{16}{63}$

20 $\frac{7}{15}$

16 (초록색 구슬의 수)

=(전체 구슬의 수)×(초록색 구슬의 부분)

$=80\times\frac{7}{40}=14$(개)

17 (민지의 가방 무게)

=(효리의 가방 무게)$\times1\frac{5}{9}$

$=1\frac{4}{7}\times1\frac{5}{9}=2\frac{4}{9}$(kg)

19 (전체 학생 중 포도 맛 사탕을 좋아하는 여학생 부분)

=(전체 학생 중 사탕을 좋아하는 여학생 부분)

×(사탕을 좋아하는 여학생 중 포도 맛 사탕을 좋아하는 여학생 부분)

$=\frac{4}{9}\times\frac{2}{3}\times\frac{6}{7}=\frac{16}{63}$

20 (어제 먹고 남은 수박의 양)$=1-\frac{2}{5}=\frac{3}{5}$

⇨ (전체 수박 중 오늘 먹은 수박의 양)

$=\frac{3}{5}\times\frac{7}{9}=\frac{7}{15}$

3. 합동과 대칭

① 도형의 합동

70쪽

❶ (　　)(　　)(○)(　　)
❷ (　　)(○)(　　)(　　)
❸ (　　)(　　)(　　)(○)

71쪽

❹ 점 ㄹ, 점 ㅁ
❺ 변 ㄹㅁ, 변 ㅁㅂ
❻ 각 ㄹㅁㅂ, 각 ㅁㅂㄹ
❼ 점 ㅂ, 점 ㅁ
❽ 변 ㅂㅁ, 변 ㅁㅇ
❾ 각 ㅂㅁㅇ, 각 ㅁㅇㅅ

② 선대칭도형

2일차

72쪽

❶ (○)(　　)(　　)(○)(○)
❷ (　　)(○)(○)(　　)(○)
❸ (○)(　　)(　　)(○)(　　)

73쪽

❹ 점 ㅅ, 점 ㅂ
❺ 변 ㅅㅂ, 변 ㅂㅁ
❻ 각 ㅅㅂㅁ, 각 ㅇㅅㅂ
❼ 점 ㅇ, 점 ㅅ
❽ 변 ㅅㅂ, 변 ㅇㄷ
❾ 각 ㅇㅅㅂ, 각 ㅅㅇㄷ

③ 점대칭도형

3일차

74쪽

❶ (○)(　　)(　　)(○)(○)
❷ (　　)(○)(○)(○)(　　)
❸ (○)(　　)(○)(　　)(○)

75쪽

❹ 점 ㄷ, 점 ㄹ
❺ 변 ㄷㄹ, 변 ㄹㄱ
❻ 각 ㄷㄹㄱ, 각 ㄹㄱㄴ
❼ 점 ㅁ, 점 ㅂ
❽ 변 ㅁㅂ, 변 ㅂㄱ
❾ 각 ㅁㅂㄱ, 각 ㅂㄱㄴ

④ 두 도형이 서로 합동일 때 둘레 구하기

⑤ 두 도형이 서로 합동일 때 각의 크기 구하기

4일차

76쪽 ❗ 정답을 왼쪽에서부터 확인합니다.

❶ 7, 9 / 21 cm
❷ 10, 6 / 24 cm
❸ 9, 13 / 30 cm
❹ 4, 8 / 34 cm
❺ 10, 6 / 36 cm
❻ 13, 11 / 33 cm

77쪽

❼ 60, 70 / 50°
❽ 90, 55 / 35°
❾ 35, 20 / 125°
❿ 40, 80 / 110°
⓫ 140, 95 / 50°
⓬ 145, 70 / 100°

14 ● 개념플러스연산 파워 정답 5-2

❶ 대응변의 길이가 서로 같으므로
(변 ㄱㄴ)=(변 ㄹㅂ)=7 cm, (변 ㅁㅂ)=(변 ㄷㄴ)=9 cm
⇨ (삼각형 ㄱㄴㄷ의 둘레)=7+9+5=21(cm)

❷ 대응변의 길이가 서로 같으므로
(변 ㄷㄱ)=(변 ㅂㅁ)=10 cm, (변 ㄹㅁ)=(변 ㄴㄱ)=6 cm
⇨ (삼각형 ㄹㅁㅂ의 둘레)=6+10+8=24(cm)

❸ 대응변의 길이가 서로 같으므로
(변 ㄴㄷ)=(변 ㅁㄹ)=9 cm, (변 ㄹㅂ)=(변 ㄷㄱ)=13 cm
⇨ (삼각형 ㄱㄴㄷ의 둘레)=8+9+13=30(cm)

❹ 대응변의 길이가 서로 같으므로
(변 ㄷㄹ)=(변 ㅅㅇ)=4 cm, (변 ㅁㅂ)=(변 ㄱㄴ)=8 cm
⇨ (사각형 ㅁㅂㅅㅇ의 둘레)=8+9+4+13=34(cm)

❺ 대응변의 길이가 서로 같으므로
(변 ㄱㄴ)=(변 ㅇㅅ)=10 cm, (변 ㅁㅇ)=(변 ㄹㄱ)=6 cm
⇨ (사각형 ㄱㄴㄷㄹ의 둘레)=10+12+8+6=36(cm)

❻ 대응변의 길이가 서로 같으므로
(변 ㄱㄹ)=(변 ㅅㅂ)=13 cm, (변 ㅁㅂ)=(변 ㄷㄹ)=11 cm
⇨ (사각형 ㅁㅂㅅㅇ의 둘레)=11+13+4+5=33(cm)

❼ 대응각의 크기가 서로 같으므로
(각 ㄷㄴㄱ)=(각 ㅁㄹㅂ)=60°, (각 ㄹㅁㅂ)=(각 ㄱㄷㄴ)=70°
⇨ (각 ㄱㄴㄷ)=180°-60°-70°=50°

❽ 대응각의 크기가 서로 같으므로
(각 ㄱㄴㄷ)=(각 ㄹㅁㅂ)=90°, (각 ㅁㅂㄹ)=(각 ㄴㄷㄱ)=55°
⇨ (각 ㅂㄹㅁ)=180°-55°-90°=35°

❾ 대응각의 크기가 서로 같으므로
(각 ㄴㄷㄱ)=(각 ㄹㅁㅂ)=35°, (각 ㅂㄹㅁ)=(각 ㄷㄱㄴ)=20°
⇨ (각 ㄷㄱㄴ)=180°-20°-35°=125°

❿ 대응각의 크기가 서로 같으므로
(각 ㄴㄷㄹ)=(각 ㅂㅅㅇ)=40°, (각 ㅇㅁㅂ)=(각 ㄹㄱㄴ)=80°
⇨ (각 ㅁㅂㅅ)=360°-80°-40°-130°=110°

⓫ 대응각의 크기가 서로 같으므로
(각 ㄹㄱㄴ)=(각 ㅁㅇㅅ)=140°, (각 ㅇㅁㅂ)=(각 ㄱㄹㄷ)=95°
⇨ (각 ㄴㄷㄹ)=360°-140°-75°-95°=50°

⓬ 대응각의 크기가 서로 같으므로
(각 ㄴㄷㄹ)=(각 ㅁㅇㅅ)=145°, (각 ㅁㅂㅅ)=(각 ㄴㄱㄹ)=70°
⇨ (각 ㅇㅁㅂ)=360°-70°-45°-145°=100°

⑥ 선대칭도형에서 둘레 구하기

⑦ 선대칭도형에서 각의 크기 구하기

78쪽 ❗ 정답을 위에서부터 확인합니다.

❶ 8, 4 / 38 cm
❹ 8, 6 / 36 cm
❷ 11, 5 / 32 cm
❺ 6, 7 / 34 cm
❸ 4, 9 / 30 cm
❻ 3, 9 / 40 cm

79쪽

❼ 70, 55 / 55°
❿ 80, 75 / 115°
❽ 35, 105 / 40°
⓫ 45, 125 / 100°
❾ 90, 60 / 120°
⓬ 95, 25 / 95°

❶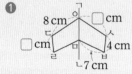
대응변의 길이가 서로 같으므로
(변 ㄷㄹ)=(변 ㅅㅂ)=4 cm,
(변 ㅇㅅ)=(변 ㅇㄷ)=8 cm
⇨ (도형의 둘레)
=(8+4+7)×2=38(cm)

❷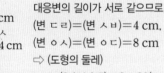
대응변의 길이가 서로 같으므로
(변 ㄹㅁ)=(변 ㄹㄷ)=5 cm,
(변 ㄷㅂ)=(변 ㅁㅂ)=11 cm
⇨ (도형의 둘레)
=(5+11)×2=32(cm)

❸
대응변의 길이가 서로 같으므로
(변 ㄷㅇ)=(변 ㅅㅇ)=4 cm,
(변 ㅅㅂ)=(변 ㄷㄹ)=9 cm
⇨ (도형의 둘레)
=(4+9+2)×2=30(cm)

❹
대응변의 길이가 서로 같으므로
(변 ㄷㄹ)=(변 ㄷㅇ)=6 cm,
(변 ㅇㅅ)=(변 ㄹㅁ)=8 cm
⇨ (도형의 둘레)
=(6+8+4)×2=36(cm)

❺
대응변의 길이가 서로 같으므로
(변 ㄷㄹ)=(변 ㅅㅂ)=7 cm,
(변 ㅅㅇ)=(변 ㄷㅇ)=6 cm
⇨ (도형의 둘레)
=(6+7+4)×2=34(cm)

❻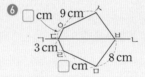
대응변의 길이가 서로 같으므로
(변 ㅇㄷ)=(변 ㄹㄷ)=3 cm,
(변 ㄹㅁ)=(변 ㅇㅅ)=9 cm
⇨ (도형의 둘레)
=(3+9+8)×2=40(cm)

❼ 대응각의 크기가 서로 같으므로
(각 ㄹㅁㄷ)=(각 ㅂㅁㄷ)=55°, (각 ㅁㄷㄹ)=(각 ㅁㄷㄹ)=70°
⇨ (각 ㅂㄷㅁ)=180°-55°-70°=55°

❽ 대응각의 크기가 서로 같으므로
(각 ㄷㅂㅁ)=(각 ㄷㄹㅁ)=35°, (각 ㄹㅁㄷ)=(각 ㅂㅁㄷ)=105°
⇨ (각 ㅁㄷㄹ)=180°-35°-105°=40°

❾ 대응각의 크기가 서로 같으므로
(각 ㄷㄹㅁ)=(각 ㅅㅂㅁ)=60°, (각 ㅅㅇㅁ)=(각 ㄷㅇㅁ)=90°
⇨ (각 ㅇㄷㄹ)=360°-60°-90°-90°=120°

❿ 대응각의 크기가 서로 같으므로
(각 ㄹㄷㅇ)=(각 ㅂㅅㅇ)=80°, (각 ㅅㅂㅁ)=(각 ㄷㄹㅁ)=75°
⇨ (각 ㅅㅇㅁ)=360°-90°-75°-80°=115°

⓫ 대응각의 크기가 서로 같으므로
(각 ㄹㅁㅂ)=(각 ㅇㅅㅂ)=125°, (각 ㅇㄷㅂ)=(각 ㄹㄷㅂ)=45°
⇨ (각 ㄷㄹㅁ)=360°-45°-125°-90°=100°

⓬ 대응각의 크기가 서로 같으므로
(각 ㅇㄷㄹ)=(각 ㅇㅅㅂ)=25°, (각 ㅂㅇㅅ)=(각 ㄹㅁㅇ)=95°
⇨ (각 ㅁㅂㅅ)=360°-25°-145°-95°=95°

3. 합동과 대칭 • 15

80쪽　❶ 정답을 위에서부터 확인합니다.

❶ 11, 6 / 34 cm　　❹ 10, 3 / 38 cm

❷ 7, 8 / 30 cm　　❺ 5, 7 / 36 cm

❸ 4, 7 / 32 cm　　❻ 11, 5 / 40 cm

81쪽

❼ 75, 40 / 65°　　❿ 55, 90 / 110°

❽ 60, 85 / 35°　　⓫ 40, 120 / 135°

❾ 35, 115 / 30°　　⓬ 70, 85 / 125°

❶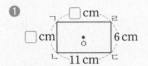
대응변의 길이가 서로 같으므로
(변 ㄱㄴ)=(변 ㄷㄹ)=6 cm,
(변 ㄱㄹ)=(변 ㄷㄴ)=11 cm
⇨ (도형의 둘레)
$=(11+6)\times2=34$(cm)

❷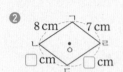
대응변의 길이가 서로 같으므로
(변 ㄴㄷ)=(변 ㄹㄱ)=7 cm,
(변 ㄷㄹ)=(변 ㄱㄴ)=8 cm
⇨ (도형의 둘레)
$=(8+7)\times2=30$(cm)

❸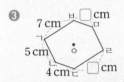
대응변의 길이가 서로 같으므로
(변 ㅁㅂ)=(변 ㄴㄷ)=4 cm,
(변 ㄷㄹ)=(변 ㅂㄱ)=7 cm
⇨ (도형의 둘레)
$=(7+5+4)\times2=32$(cm)

❹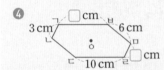
대응변의 길이가 서로 같으므로
(변 ㅂㄱ)=(변 ㄷㄹ)=10 cm,
(변 ㄹㅁ)=(변 ㄱㄴ)=3 cm
⇨ (도형의 둘레)
$=(3+10+6)\times2=38$(cm)

❺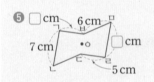
대응변의 길이가 서로 같으므로
(변 ㅂㄱ)=(변 ㄷㄹ)=5 cm,
(변 ㄹㅁ)=(변 ㄱㄴ)=7 cm
⇨ (도형의 둘레)
$=(6+7+5)\times2=36$(cm)

❻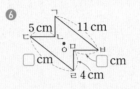
대응변의 길이가 서로 같으므로
(변 ㄷㄹ)=(변 ㅂㄱ)=11 cm,
(변 ㅁㅂ)=(변 ㄴㄷ)=5 cm
⇨ (도형의 둘레)
$=(5+11+4)\times2=40$(cm)

❼ 대응각의 크기가 서로 같으므로
(각 ㄹㄱㄴ)=(각 ㄴㄷㄹ)=75°, (각 ㄷㄷㄹ)=(각 ㄱㄹㄴ)=40°
⇨ (각 ㄱㄹㄷ)=180°-75°-40°=65°

❽ 대응각의 크기가 서로 같으므로
(각 ㄱㄴㅇ)=(각 ㄷㄹㅇ)=60°, (각 ㄹㄱㅇ)=(각 ㄴㄱㅇ)=85°
⇨ (각 ㄹㅇㄷ)=180°-60°-85°=35°

❾ 대응각의 크기가 서로 같으므로
(각 ㄱㄴㄷ)=(각 ㄹㄷㅂ)=35°, (각 ㄷㄹㅁ)=(각 ㅂㄱㄴ)=115°
⇨ (각 ㄱㄴㄷ)=180°-115°-35°=30°

❿ 대응각의 크기가 서로 같으므로
(각 ㅂㄱㄴ)=(각 ㄷㄹㅁ)=90°, (각 ㄹㅁㅂ)=(각 ㄱㄴㄷ)=55°
⇨ (각 ㄴㄷㅂ)=360°-90°-55°-105°=110°

⓫ 대응각의 크기가 서로 같으므로
(각 ㅂㄱㄴ)=(각 ㄷㄹㅁ)=40°, (각 ㄷㄹㅁ)=(각 ㅂㄱㄴ)=120°
⇨ (각 ㄴㄷㄹ)=360°-40°-120°-65°=135°

⓬ 대응각의 크기가 서로 같으므로
(각 ㄱㅂㄷ)=(각 ㄹㄷㅂ)=85°, (각 ㄹㅁㅂ)=(각 ㄱㄴㄷ)=70°
⇨ (각 ㅁㅂㄷ)=360°-85°-80°-70°=125°

82쪽

❶ 14　　❹ 8

❷ 10　　❺ 6

❸ 16　　❻ 4

83쪽

❼ 10　　❿ 20

❽ 14　　⓫ 8

❾ 12　　⓬ 18

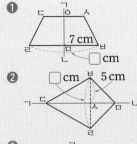

❶ 대칭축은 대응점끼리 이은 선분을
둘로 똑같이 나누므로
(선분 ㄹㅁ)=(선분 ㅂㅁ)=7 cm
⇨ ☐=7+7=14(cm)

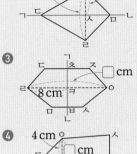

❷ 대칭축은 대응점끼리 이은 선분을
둘로 똑같이 나누므로
(선분 ㅅㄹ)=(선분 ㅅㅂ)=5 cm
⇨ ☐=5+5=10(cm)

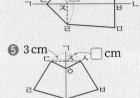

❸ 대칭축은 대응점끼리 이은 선분을
둘로 똑같이 나누므로
(선분 ㅋㅇ)=(선분 ㅋㄹ)=8 cm
⇨ ☐=8+8=16(cm)

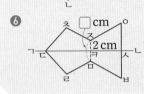

❹ 대칭축은 대응점끼리 이은 선분을
둘로 똑같이 나누므로
(선분 ㅈㄹ)=(선분 ㅈㅇ)=4 cm
⇨ ☐=4+4=8(cm)

❺ 대칭축은 대응점끼리 이은 선분을
둘로 똑같이 나누므로
(선분 ㅈㅅ)=(선분 ㅈㄷ)=3 cm
⇨ ☐=3+3=6(cm)

❻ 대칭축은 대응점끼리 이은 선분을
둘로 똑같이 나누므로
(선분 ㅋㅁ)=(선분 ㅋㅈ)=2 cm
⇨ ☐=2+2=4(cm)

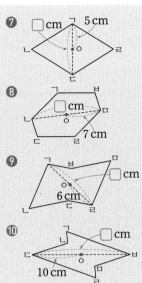

❼ 대칭의 중심은 대응점끼리 이은
선분을 둘로 똑같이 나누므로
(선분 ㅇㄷ)=(선분 ㅇㄱ)=5 cm
⇨ ☐=5+5=10(cm)

❽ 대칭의 중심은 대응점끼리 이은
선분을 둘로 똑같이 나누므로
(선분 ㄴㅇ)=(선분 ㅁㅇ)=7 cm
⇨ ☐=7+7=14(cm)

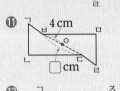

❾ 대칭의 중심은 대응점끼리 이은
선분을 둘로 똑같이 나누므로
(선분 ㄱㅇ)=(선분 ㄹㅇ)=6 cm
⇨ ☐=6+6=12(cm)

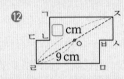

❿ 대칭의 중심은 대응점끼리 이은
선분을 둘로 똑같이 나누므로
(선분 ㅂㅇ)=(선분 ㄷㅇ)=10 cm
⇨ ☐=10+10=20(cm)

⓫ 대칭의 중심은 대응점끼리 이은
선분을 둘로 똑같이 나누므로
(선분 ㄷㅇ)=(선분 ㅂㅇ)=4 cm
⇨ ☐=4+4=8(cm)

⓬ 대칭의 중심은 대응점끼리 이은
선분을 둘로 똑같이 나누므로
(선분 ㅈㅇ)=(선분 ㄹㅇ)=9 cm
⇨ ☐=9+9=18(cm)

평가 3. 합동과 대칭

84쪽

1 (○)(   )

2 (   )(○)

3 점 ㄹ / 변 ㅂㅁ /
  각 ㄹㅁㅂ

4 (   )(   )(○)

5 점 ㅇ / 변 ㅅㅂ /
  각 ㄷㄹㅁ

6 (   )(○)(   )

7 점 ㅅ / 변 ㅈㄱ /
  각 ㄱㄴㄷ

85쪽

8 (왼쪽에서부터) 10, 7 /
  28 cm

9 (왼쪽에서부터) 85, 55 /
  40°

10 (위에서부터) 11, 8 /
  46 cm

11 (위에서부터) 100, 120 /
  70°

12 (위에서부터) 6, 7 /
  44 cm

13 (위에서부터) 25, 90 /
  65°

8 대응변의 길이가 서로 같으므로
(변 ㄴㄷ)=(변 ㅇㅁ)=10 cm, (변 ㅂㅅ)=(변 ㄹㄱ)=7 cm
⇨ (사각형 ㅁㅂㅅㅇ의 둘레)=6+7+5+10=28(cm)

9 대응각의 크기가 서로 같으므로
(각 ㄴㄷㄱ)=(각 ㅂㄹㅁ)=85°, (각 ㄹㅁㅂ)=(각 ㄱㄷㄴ)=55°
⇨ (각 ㄱㄴㄷ)=180°-85°-55°=40°

10
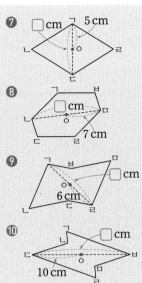
대응변의 길이가 서로 같으므로
(변 ㄷㄹ)=(변 ㄷㅇ)=11 cm,
(변 ㅇㅅ)=(변 ㄹㅁ)=8 cm
⇨ (도형의 둘레)
  =(11+8+4)×2=46(cm)

11 대응각의 크기가 서로 같으므로
(각 ㄷㄹㅁ)=(각 ㅅㅂㅁ)=120°, (각 ㅅㅇㅁ)=(각 ㄷㅇㅁ)=100°
⇨ (각 ㅂㅇㅁ)=360°-100°-120°-70°=70°

12
대응변의 길이가 서로 같으므로
(변 ㄱㄴ)=(변 ㄹㅁ)=7 cm,
(변 ㅂㅁ)=(변 ㄷㄴ)=6 cm
⇨ (도형의 둘레)
  =(9+6+7)×2=44(cm)

13 대응각의 크기가 서로 같으므로
(각 ㄷㄹㅁ)=(각 ㅂㄴㄱ)=90°, (각 ㅁㅂㄱ)=(각 ㄴㄷㄹ)=25°
⇨ (각 ㄱㄴㅂ)=180°-90°-25°=65°

4. 소수의 곱셈

① (1보다 작은 소수) × (자연수)

1일차

88쪽

❶ 1.2
❷ 4.8
❸ 2.1
❹ 5.4

❺ 3.8
❻ 11
❼ 0.65
❽ 1.96

❾ 5.04
❿ 8.1
⓫ 17.02
⓬ 29.16

89쪽

⓭ 0.6
⓮ 2.4
⓯ 2
⓰ 4.2
⓱ 6.3
⓲ 6.4
⓳ 3.6

⓴ 8.5
㉑ 15
㉒ 27.9
㉓ 0.33
㉔ 2
㉕ 0.74
㉖ 3.22

㉗ 3.48
㉘ 2.48
㉙ 3.95
㉚ 3.78
㉛ 6.11
㉜ 15.84
㉝ 35.88

② (1보다 큰 소수) × (자연수)

2일차

90쪽

❶ 3.6
❷ 18.2
❸ 21.5
❹ 54.4

❺ 14.3
❻ 85
❼ 2.78
❽ 15.18

❾ 47.36
❿ 108.68
⓫ 123.4
⓬ 246.5

91쪽

⓭ 3
⓮ 14.5
⓯ 30.6
⓰ 17.4
⓱ 50.4
⓲ 54.6
⓳ 18.2

⓴ 35.1
㉑ 109.2
㉒ 244.2
㉓ 3.22
㉔ 11.45
㉕ 14.32
㉖ 42.57

㉗ 27.3
㉘ 48.96
㉙ 23.55
㉚ 21.08
㉛ 72.77
㉜ 96.96
㉝ 181.76

③ (자연수) × (1보다 작은 소수)

3일차

92쪽

❶ 1.2
❷ 2.7
❸ 2.5
❹ 3.6

❺ 7.2
❻ 12.6
❼ 0.6
❽ 3.51

❾ 4.76
❿ 7.36
⓫ 14.74
⓬ 22.63

93쪽

⓭ 0.8
⓮ 2.4
⓯ 2.8
⓰ 4.5
⓱ 1.4
⓲ 4
⓳ 4.8

⓴ 7.5
㉑ 13.8
㉒ 31.2
㉓ 0.39
㉔ 0.56
㉕ 1.74
㉖ 1.55

㉗ 1.12
㉘ 5.67
㉙ 5.39
㉚ 3.42
㉛ 4.9
㉜ 11.07
㉝ 33.12

④ (자연수) × (1보다 큰 소수)

4일차

94쪽

❶ 6
❷ 19.2
❸ 10.6
❹ 60.2
❺ 31.2
❻ 140.7
❼ 5.28
❽ 21.25
❾ 50.54
❿ 97.56
⓫ 208.51
⓬ 325.44

95쪽

⓭ 8.4
⓮ 23.4
⓯ 9.8
⓰ 38.5
⓱ 25.2
⓲ 73.6
⓳ 27
⓴ 56.1
㉑ 108
㉒ 210.8
㉓ 10.53
㉔ 14.45
㉕ 10.35
㉖ 40.72
㉗ 24.96
㉘ 69.39
㉙ 17.9
㉚ 25.8
㉛ 73.28
㉜ 116.82
㉝ 261.1

⑤ 1보다 작은 소수끼리의 곱셈

5일차

96쪽

❶ 0.04
❷ 0.06
❸ 0.35
❹ 0.72
❺ 0.114
❻ 0.26
❼ 0.336
❽ 0.112
❾ 0.162
❿ 0.568
⓫ 0.2075
⓬ 0.2793

97쪽

⓭ 0.14
⓮ 0.15
⓯ 0.32
⓰ 0.3
⓱ 0.12
⓲ 0.28
⓳ 0.076
⓴ 0.063
㉑ 0.085
㉒ 0.258
㉓ 0.112
㉔ 0.234
㉕ 0.096
㉖ 0.24
㉗ 0.406
㉘ 0.414
㉙ 0.672
㉚ 0.135
㉛ 0.2916
㉜ 0.3285
㉝ 0.5796

⑥ 1보다 큰 소수끼리의 곱셈

6일차

98쪽

❶ 5.12
❷ 9.86
❸ 15.5
❹ 68.85
❺ 2.652
❻ 14.805
❼ 9.576
❽ 13.167
❾ 9.936
❿ 23.634
⓫ 2.233
⓬ 18.7833

99쪽

⓭ 8.99
⓮ 26.88
⓯ 8.67
⓰ 28.35
⓱ 11.52
⓲ 23.04
⓳ 7.392
⓴ 3.922
㉑ 52.92
㉒ 20.735
㉓ 51.972
㉔ 55.942
㉕ 5.055
㉖ 39.338
㉗ 14.375
㉘ 28.704
㉙ 44.255
㉚ 16.632
㉛ 17.3372
㉜ 18.5895
㉝ 57.5932

⑦ 세 소수의 곱셈

7일차

100쪽

❶ 0.024
❷ 0.252
❸ 0.126
❹ 0.16
❺ 0.432

❻ 0.069
❼ 0.5432
❽ 0.0324
❾ 0.1968
❿ 0.243

101쪽

⓫ 2.73
⓬ 4.8
⓭ 8.602
⓮ 7.644
⓯ 9.324
⓰ 12.168
⓱ 12.474

⓲ 2.9696
⓳ 14.07
⓴ 5.225
㉑ 11.2752
㉒ 15.5124
㉓ 8.2705
㉔ 19.2192

⑧ (소수) × 10, 100, 1000에서 곱의 소수점 위치

⑨ (자연수) × 0.1, 0.01, 0.001에서 곱의 소수점 위치

8일차

102쪽

❶ 5, 50, 500
❷ 9, 90, 900
❸ 1.6, 16, 160
❹ 7.2, 72, 720

❺ 3.08, 30.8, 308
❻ 8.94, 89.4, 894
❼ 32, 320, 3200
❽ 61, 610, 6100

❾ 15.2, 152, 1520
❿ 40.3, 403, 4030
⓫ 26.95, 269.5, 2695
⓬ 51.47, 514.7, 5147

103쪽

⓭ 0.3, 0.03, 0.003
⓮ 0.6, 0.06, 0.006
⓯ 0.8, 0.08, 0.008
⓰ 1.2, 0.12, 0.012

⓱ 4, 0.4, 0.04
⓲ 5.7, 0.57, 0.057
⓳ 29.1, 2.91, 0.291
⓴ 60.3, 6.03, 0.603

㉑ 91.8, 9.18, 0.918
㉒ 132.4, 13.24, 1.324
㉓ 708, 70.8, 7.08
㉔ 820.9, 82.09, 8.209

⑩ 소수끼리의 곱셈에서 곱의 소수점 위치

9일차

104쪽

❶ 0.18, 0.018, 0.0018
❷ 0.3, 0.03, 0.003
❸ 1.26, 0.126, 0.0126

❹ 2.16, 0.216, 0.0216
❺ 3.99, 0.399, 0.0399
❻ 4.42, 0.442, 0.0442

❼ 5.2, 0.52, 0.052
❽ 10.04, 1.004, 0.1004
❾ 13.23, 1.323, 0.1323

105쪽

❿ 20.35, 2.035, 0.2035
⓫ 52.08, 5.208, 0.5208
⓬ 70.56, 7.056, 0.7056
⓭ 95.4, 9.54, 0.954

⓮ 1.04, 0.104, 0.0104
⓯ 1.22, 0.122, 0.0122
⓰ 7.54, 0.754, 0.0754
⓱ 33.62, 3.362, 0.3362

⓲ 2.58, 0.258, 0.0258
⓳ 4.13, 0.413, 0.0413
⓴ 26.52, 2.652, 0.2652
㉑ 55.1, 5.51, 0.551

106쪽

❶ 2.1 / 6.3
❷ 23.8 / 1.12
❸ 12 / 0.72
❹ 30.6 / 9.18
❺ 0.15 / 0.28
❻ 64.32 / 28.341

107쪽

❼ 1.2
❽ 3.2
❾ 20.1
❿ 69.12
⑪ 0.216
⑫ 7.75
⑬ 0.236
⑭ 22.287

108쪽

❶ 100
❷ 10
❸ 1000
❹ 10
❺ 100
❻ 1000
❼ 100
❽ 10
❾ 100
❿ 1000

109쪽

⑪ 0.1
⑫ 0.001
⑬ 0.01
⑭ 0.1
⑮ 0.001
⑯ 0.001
⑰ 0.1
⑱ 0.01
⑲ 0.001
⑳ 0.01

❶ 70은 0.7의 소수점이 오른쪽으로 두 자리 옮겨진 것이므로 100을 곱한 것입니다.

❷ 1.8은 0.18의 소수점이 오른쪽으로 한 자리 옮겨진 것이므로 10을 곱한 것입니다.

❸ 840은 0.84의 소수점이 오른쪽으로 세 자리 옮겨진 것이므로 1000을 곱한 것입니다.

❹ 0.52는 0.052의 소수점이 오른쪽으로 한 자리 옮겨진 것이므로 10을 곱한 것입니다.

❺ 93.1은 0.931의 소수점이 오른쪽으로 두 자리 옮겨진 것이므로 100을 곱한 것입니다.

❻ 5600은 5.6의 소수점이 오른쪽으로 세 자리 옮겨진 것이므로 1000을 곱한 것입니다.

❼ 172는 1.72의 소수점이 오른쪽으로 두 자리 옮겨진 것이므로 100을 곱한 것입니다.

❽ 22.3은 2.23의 소수점이 오른쪽으로 한 자리 옮겨진 것이므로 10을 곱한 것입니다.

❾ 349.5는 3.495의 소수점이 오른쪽으로 두 자리 옮겨진 것이므로 100을 곱한 것입니다.

❿ 4609는 4.609의 소수점이 오른쪽으로 세 자리 옮겨진 것이므로 1000을 곱한 것입니다.

⑪ 0.5는 5의 소수점이 왼쪽으로 한 자리 옮겨진 것이므로 0.1을 곱한 것입니다.

⑫ 0.034는 34의 소수점이 왼쪽으로 세 자리 옮겨진 것이므로 0.001을 곱한 것입니다.

⑬ 0.97은 97의 소수점이 왼쪽으로 두 자리 옮겨진 것이므로 0.01을 곱한 것입니다.

⑭ 0.026은 0.26의 소수점이 왼쪽으로 한 자리 옮겨진 것이므로 0.1을 곱한 것입니다.

⑮ 0.0148은 14.8의 소수점이 왼쪽으로 세 자리 옮겨진 것이므로 0.001을 곱한 것입니다.

⑯ 0.0281은 28.1의 소수점이 왼쪽으로 세 자리 옮겨진 것이므로 0.001을 곱한 것입니다.

⑰ 4.053은 40.53의 소수점이 왼쪽으로 한 자리 옮겨진 것이므로 0.1을 곱한 것입니다.

⑱ 0.7386은 73.86의 소수점이 왼쪽으로 두 자리 옮겨진 것이므로 0.01을 곱한 것입니다.

⑲ 0.5029는 502.9의 소수점이 왼쪽으로 세 자리 옮겨진 것이므로 0.001을 곱한 것입니다.

⑳ 8.745는 874.5의 소수점이 왼쪽으로 두 자리 옮겨진 것이므로 0.01을 곱한 것입니다.

12일 차

110쪽

❶ 0.4　　　　**❹** 0.08

❷ 0.05　　　**❺** 7.7

❸ 3.6　　　　**❻** 0.009

111쪽

❼ 0.13　　　**⑫** 1.9

❽ 0.5　　　　**⑬** 0.221

❾ 3.26　　　**⑭** 0.6

⑩ 2.4　　　　**⑮** 0.309

⑪ 0.213　　　**⑯** 0.38

❶ • 0.9는 9의 소수점이 왼쪽으로 한 자리 옮겨진 것입니다.
　• 0.36은 36의 소수점이 왼쪽으로 두 자리 옮겨진 것입니다.
　⇨ ☐는 4에서 소수점을 왼쪽으로 한 자리 옮긴 0.4입니다.

❷ • 2.1은 21의 소수점이 왼쪽으로 한 자리 옮겨진 것입니다.
　• 0.105는 105의 소수점이 왼쪽으로 세 자리 옮겨진 것입니다.
　⇨ ☐는 5에서 소수점을 왼쪽으로 두 자리 옮긴 0.05입니다.

❸ • 0.06은 6의 소수점이 왼쪽으로 두 자리 옮겨진 것입니다.
　• 0.216은 216의 소수점이 왼쪽으로 세 자리 옮겨진 것입니다.
　⇨ ☐는 36에서 소수점을 왼쪽으로 한 자리 옮긴 3.6입니다.

❹ • 0.7은 7의 소수점이 왼쪽으로 한 자리 옮겨진 것입니다.
　• 0.056은 56의 소수점이 왼쪽으로 세 자리 옮겨진 것입니다.
　⇨ ☐는 8에서 소수점을 왼쪽으로 두 자리 옮긴 0.08입니다.

❺ • 0.03은 3의 소수점이 왼쪽으로 두 자리 옮겨진 것입니다.
　• 0.231은 231의 소수점이 왼쪽으로 세 자리 옮겨진 것입니다.
　⇨ ☐는 77에서 소수점을 왼쪽으로 한 자리 옮긴 7.7입니다.

❻ • 4.2는 42의 소수점이 왼쪽으로 한 자리 옮겨진 것입니다.
　• 0.0378은 378의 소수점이 왼쪽으로 네 자리 옮겨진 것입니다.
　⇨ ☐는 9에서 소수점을 왼쪽으로 세 자리 옮긴 0.009입니다.

❼ • 0.37은 37의 소수점이 왼쪽으로 두 자리 옮겨진 것입니다.
　• 0.0481은 481의 소수점이 왼쪽으로 네 자리 옮겨진 것입니다.
　⇨ ☐는 13에서 소수점을 왼쪽으로 두 자리 옮긴 0.13입니다.

❽ • 14.8은 148의 소수점이 왼쪽으로 한 자리 옮겨진 것입니다.
　• 7.4는 740의 소수점이 왼쪽으로 두 자리 옮겨진 것입니다.
　⇨ ☐는 5에서 소수점을 왼쪽으로 한 자리 옮긴 0.5입니다.

❾ • 0.03은 3의 소수점이 왼쪽으로 두 자리 옮겨진 것입니다.
　• 0.0978은 978의 소수점이 왼쪽으로 네 자리 옮겨진 것입니다.
　⇨ ☐는 326에서 소수점을 왼쪽으로 두 자리 옮긴 3.26입니다.

⑩ • 11.9는 119의 소수점이 왼쪽으로 한 자리 옮겨진 것입니다.
　• 28.56은 2856의 소수점이 왼쪽으로 두 자리 옮겨진 것입니다.
　⇨ ☐는 24에서 소수점을 왼쪽으로 한 자리 옮긴 2.4입니다.

⑪ • 2.5는 25의 소수점이 왼쪽으로 한 자리 옮겨진 것입니다.
　• 0.5325는 5325의 소수점이 왼쪽으로 네 자리 옮겨진 것입니다.
　⇨ ☐는 213에서 소수점을 왼쪽으로 세 자리 옮긴 0.213입니다.

⑫ • 3.2는 32의 소수점이 왼쪽으로 한 자리 옮겨진 것입니다.
　• 6.08는 608의 소수점이 왼쪽으로 두 자리 옮겨진 것입니다.
　⇨ ☐는 19에서 소수점을 왼쪽으로 한 자리 옮긴 1.9입니다.

⑬ • 0.4는 4의 소수점이 왼쪽으로 한 자리 옮겨진 것입니다.
　• 0.0884는 884의 소수점이 왼쪽으로 네 자리 옮겨진 것입니다.
　⇨ ☐는 221에서 소수점을 왼쪽으로 세 자리 옮긴 0.221입니다.

⑭ • 1.75는 175의 소수점이 왼쪽으로 두 자리 옮겨진 것입니다.
　• 1.05는 1050의 소수점이 왼쪽으로 세 자리 옮겨진 것입니다.
　⇨ ☐는 6에서 소수점을 왼쪽으로 한 자리 옮긴 0.6입니다.

⑮ • 1.1은 11의 소수점이 왼쪽으로 한 자리 옮겨진 것입니다.
　• 0.3399는 3399의 소수점이 왼쪽으로 네 자리 옮겨진 것입니다.
　⇨ ☐는 309에서 소수점을 왼쪽으로 세 자리 옮긴 0.309입니다.

⑯ • 16.9는 169의 소수점이 왼쪽으로 한 자리 옮겨진 것입니다.
　• 6.422는 6422의 소수점이 왼쪽으로 세 자리 옮겨진 것입니다.
　⇨ ☐는 38에서 소수점을 왼쪽으로 두 자리 옮긴 0.38입니다.

---

⑯ 곱이 가장 큰 소수의 곱셈식 만들기　　　　⑰ 곱이 가장 작은 소수의 곱셈식 만들기

13일 차

112쪽

❶ 5, 3, 2, 7 / 37.24　　　**❹** 9, 7, 5, 3 / 67.77

❷ 6, 1, 4, 2(또는 4, 2, 6, 1)　**❺** 6, 5, 1, 8 / 52.08
　/ 25.62　　　　　　　　**❻** 9, 2, 8, 3(또는 8, 3, 9, 2)

❸ 5, 4, 3, 1 / 21.55　　　　　/ 76.36

113쪽

❼ 2, 5, 4, 6(또는 4, 6, 2, 5)　**⑩** 3, 6, 7, 8 / 20.34
　/ 11.5　　　　　　　　　**⑪** 3, 6, 4, 9(또는 4, 9, 3, 6)

❽ 4, 5, 7, 3 / 13.71　　　　　/ 17.64

❾ 2, 3, 7, 9 / 7.58　　　　**⑫** 5, 8, 9, 4 / 23.56

❶ 2<3<5<7이므로 곱을 가장 크게 만들려면 자연수 부분에 가장 큰 수와 두 번째로 큰 수인 7과 5를 넣어야 합니다.
7.32×5=36.6 또는 5.32×7=37.24
⇨ 곱이 가장 큰 곱셈식: 5.32×7=37.24

❷ 1<2<4<6이므로 곱을 가장 크게 만들려면 자연수 부분에 가장 큰 수와 두 번째로 큰 수인 6과 4를 넣어야 합니다.
6.2×4.1=25.42 또는 6.1×4.2=25.62
⇨ 곱이 가장 큰 곱셈식: 6.1×4.2=25.62

❸ 1<3<4<5이므로 곱을 가장 크게 만들려면 자연수 부분에 가장 큰 수와 두 번째로 큰 수인 5와 4를 넣어야 합니다.
5×4.31=21.55 또는 4×5.31=21.24
⇨ 곱이 가장 큰 곱셈식: 5×4.31=21.55

❹ 3<5<7<9이므로 곱을 가장 크게 만들려면 자연수 부분에 가장 큰 수와 두 번째로 큰 수인 9와 7을 넣어야 합니다.
9×7.53=67.77 또는 7×9.53=66.71
⇨ 곱이 가장 큰 곱셈식: 9×7.53=67.77

❺ 1<5<6<8이므로 곱을 가장 크게 만들려면 자연수 부분에 가장 큰 수와 두 번째로 큰 수인 8과 6을 넣어야 합니다.
8.51×6=51.06 또는 6.51×8=52.08
⇨ 곱이 가장 큰 곱셈식: 6.51×8=52.08

❻ 2<3<8<9이므로 곱을 가장 크게 만들려면 자연수 부분에 가장 큰 수와 두 번째로 큰 수인 9와 8을 넣어야 합니다.
9.3×8.2=76.26 또는 9.2×8.3=76.36
⇨ 곱이 가장 큰 곱셈식: 9.2×8.3=76.36

❼ 2<4<5<6이므로 곱을 가장 작게 만들려면 자연수 부분에 가장 작은 수와 두 번째로 작은 수인 2와 4를 넣어야 합니다.
2.5×4.6=11.5 또는 2.6×4.5=11.7
⇨ 곱이 가장 작은 곱셈식: 2.5×4.6=11.5

❽ 3<4<5<7이므로 곱을 가장 작게 만들려면 자연수 부분에 가장 작은 수와 두 번째로 작은 수인 3과 4를 넣어야 합니다.
3.57×4=14.28 또는 4.57×3=13.71
⇨ 곱이 가장 작은 곱셈식: 4.57×3=13.71

❾ 2<3<7<9이므로 곱을 가장 작게 만들려면 자연수 부분에 가장 작은 수와 두 번째로 작은 수인 2와 3을 넣어야 합니다.
2×3.79=7.58 또는 3×2.79=8.37
⇨ 곱이 가장 작은 곱셈식: 2×3.79=7.58

❿ 3<6<7<8이므로 곱을 가장 작게 만들려면 자연수 부분에 가장 작은 수와 두 번째로 작은 수인 3과 6을 넣어야 합니다.
3×6.78=20.34 또는 6×3.78=22.68
⇨ 곱이 가장 작은 곱셈식: 3×6.78=20.34

⓫ 3<4<6<9이므로 곱을 가장 작게 만들려면 자연수 부분에 가장 작은 수와 두 번째로 작은 수인 3과 4를 넣어야 합니다.
3.6×4.9=17.64 또는 3.9×4.6=17.94
⇨ 곱이 가장 작은 곱셈식: 3.6×4.9=17.64

⓬ 4<5<8<9이므로 곱을 가장 작게 만들려면 자연수 부분에 가장 작은 수와 두 번째로 작은 수인 4와 5를 넣어야 합니다.
4.89×5=24.45 또는 5.89×4=23.56
⇨ 곱이 가장 작은 곱셈식: 5.89×4=23.56

⑱ 소수의 곱셈식 완성하기

14일차

114쪽 ❗ 정답을 위에서부터 확인합니다.

❶ 7, 4
❷ 3, 7
❸ 5, 5
❹ 7, 7
❺ 6, 5
❻ 3, 9

115쪽

❼ 3, 1, 3
❽ 4, 3, 1
❾ 9, 6, 3
❿ 8, 4, 3
⓫ 2, 7, 5
⓬ 9, 2, 8

❶
$$
\begin{array}{r}
0.4\,㉠ \\
\times\qquad 9 \\
\hline
㉡.2\,3
\end{array}
$$
• ㉠×9의 일의 자리 수: 3 ⇨ ㉠=7
• 0.47×9=4.23 ⇨ ㉡=4

❷
$$
\begin{array}{r}
0.9\,㉠ \\
\times\quad 0.3 \\
\hline
0.2\,㉡\,9
\end{array}
$$
• ㉠×3의 일의 자리 수: 9 ⇨ ㉠=3
• 0.93×0.3=0.279 ⇨ ㉡=7

❸
$$
\begin{array}{r}
3\,1 \\
\times\ 0.㉠ \\
\hline
1\,㉡.5
\end{array}
$$
• 1×㉠의 일의 자리 수: 5 ⇨ ㉠=5
• 31×0.5=15.5 ⇨ ㉡=5

❹
$$
\begin{array}{r}
㉠ \\
\times\ 6.8 \\
\hline
4\,㉡.6
\end{array}
$$
㉠×8의 일의 자리 수: 6 ⇨ ㉠=2 또는 ㉠=7
2×6.8=13.6(×), 7×6.8=47.6(○)
⇨ ㉠=7, ㉡=7

❺
$$
\begin{array}{r}
3.7\,㉠ \\
\times\qquad 4 \\
\hline
1\,㉡.0\,4
\end{array}
$$
㉠×4의 일의 자리 수: 4 ⇨ ㉠=1 또는 ㉠=6
3.71×4=14.84(×), 3.76×4=15.04(○)
⇨ ㉠=6, ㉡=5

❻
$$
\begin{array}{r}
0.0\,6 \\
\times\quad 0.8\,㉠ \\
\hline
0.0\,4\,㉡\,8
\end{array}
$$
6×㉠의일의자리수:8 ⇨ ㉠=3 또는 ㉠=8
0.06×0.83=0.0498(○),
0.06×0.88=0.0528(×)
⇨ ㉠=3, ㉡=9

❼
$$
\begin{array}{r}
0.7\,㉠ \\
\times\quad 6\,7 \\
\hline
5\,㉡\,1 \\
4\,㉢\,8\ \\
\hline
4\,8.9\,1
\end{array}
$$
• ㉠×7의 일의 자리 수: 1 ⇨ ㉠=3
• 73×7=511 ⇨ ㉡=1
• 73×6=438 ⇨ ㉢=3

❽
$$
\begin{array}{r}
5.9 \\
\times\quad 5.㉠ \\
\hline
2\,㉡\,6 \\
2\,9\,5\ \\
\hline
3\,㉢.8\,6
\end{array}
$$
• 9×㉠의 일의 자리 수: 6 ⇨ ㉠=4
• 59×4=236 ⇨ ㉡=3
• 5.9×5.4=31.86 ⇨ ㉢=1

❾
$$
\begin{array}{r}
8\,㉠ \\
\times\ 0.6\,3 \\
\hline
2\,㉡\,7 \\
5\,㉢\,4\ \\
\hline
5\,6.0\,7
\end{array}
$$
• ㉠×3의 일의 자리 수: 7 ⇨ ㉠=9
• 89×3=267 ⇨ ㉡=6
• 89×6=534 ⇨ ㉢=3

❿
$$
\begin{array}{r}
㉠.1 \\
\times\quad 9.㉡ \\
\hline
㉢\,2\,4 \\
7\,2\,9\ \\
\hline
7\,6.1\,4
\end{array}
$$
• 1×㉡의 일의 자리 수: 4 ⇨ ㉡=4
• ㉠×9의 일의 자리 수: 2 ⇨ ㉠=8
• 81×4=324 ⇨ ㉢=3

⓫
$$
\begin{array}{r}
2\,㉠ \\
\times\quad ㉡.8 \\
\hline
1\,7\,6 \\
1\,㉢\,4\ \\
\hline
1\,7\,1.6
\end{array}
$$
• ㉠×8의 일의 자리 수: 6 ⇨ ㉠=2 또는 ㉠=7
22×8=176(○), 27×8=216(×) ⇨ ㉠=2
• 2×㉡의 일의 자리 수: 4 ⇨ ㉡=2 또는 ㉡=7
22×2=44(×), 22×7=154(○)
⇨ ㉡=7, ㉢=5

⓬
$$
\begin{array}{r}
4.2\,6 \\
\times\qquad ㉠\,㉡ \\
\hline
8\,5\,2 \\
3\,㉢\,3\,4\ \\
\hline
3\,9\,1.9\,2
\end{array}
$$
• 6×㉡의일의자리수:2 ⇨ ㉡=2 또는 ㉡=7
426×2=852(○), 426×7=2982(×)
⇨ ㉡=2
• 6×㉠의일의자리수:4 ⇨ ㉠=4 또는 ㉠=9
426×4=1704(×), 426×9=3834(○)
⇨ ㉠=9, ㉢=8

⑲ 소수의 곱셈 문장제

15일 차

116쪽

❶ 1.5, 7, 10.5 / 10.5시간
❷ 0.75, 5, 3.75 / 3.75 L
❸ 3, 1.8, 5.4 / 5.4 kg

117쪽

❹ 140×0.8=112 / 112 cm
❺ 2.78×6=16.68 / 16.68 kg
❻ 0.6×0.95=0.57 / 0.57 L
❼ 8.4×2.3=19.32 / 19.32 g

❹ (동생의 키)
  =(소연이의 키)×0.8
  =140×0.8=112(cm)
❺ (6일 동안 사용한 밀가루의 양)
  =(하루에 사용한 밀가루의 양)×(날수)
  =2.78×6=16.68(kg)

❻ (사과 0.95 kg으로 만들 수 있는 주스의 양)
  =(사과 1 kg으로 만들 수 있는 주스의 양)×(사과의 양)
  =0.6×0.95=0.57(L)
❼ (파란색 구슬의 무게)
  =(빨간색 구슬의 무게)×2.3
  =8.4×2.3=19.32(g)

⑳ 세 소수의 곱셈 문장제

16일 차

118쪽

❶ 0.7, 0.7, 0.8 / 0.224 L
❷ 1.7, 1.7, 2.1 / 6.783 kg

119쪽

❸ 0.8×0.9×0.6=0.432 / 0.432 m
❹ 1.4×1.25×2.3=4.025 / 4.025 km
❺ 0.9×0.7×0.25=0.1575 / 0.1575 kg

❸ (정주가 사용한 철사의 길이)
= (영미가 사용한 철사의 길이) × 0.6
= (진우가 사용한 철사의 길이) × 0.9 × 0.6
= 0.8 × 0.9 × 0.6 = 0.432(m)

❹ (준서가 달린 거리)
= (지영이가 달린 거리) × 2.3
= (시후가 달린 거리) × 1.25 × 2.3
= 1.4 × 1.25 × 2.3 = 4.025(km)

❺ (단백질 성분의 무게)
= (탄수화물 성분의 무게) × 0.25
= (밀가루 한 봉지의 무게) × 0.7 × 0.25
= 0.9 × 0.7 × 0.25 = 0.1575(kg)

㉑ 바르게 계산한 값 구하기

17일 차

120쪽

❶ 0.6, 0.6, 7, 7, 4.2 / 4.2

❷ 4, 4, 10.58, 10.58, 42.32 / 42.32

121쪽

❸ 16.75

❹ 40.42

❺ 0.1768

❸ 어떤 수를 □라 하면
□ + 3.35 = 8.35 ⇨ 8.35 − 3.35 = □, □ = 5입니다.
따라서 바르게 계산한 값은 5 × 3.35 = 16.75입니다.

❹ 어떤 수를 □라 하면
□ − 4.7 = 3.9 ⇨ 3.9 + 4.7 = □, □ = 8.6입니다.
따라서 바르게 계산한 값은 8.6 × 4.7 = 40.42입니다.

❺ 어떤 수를 □라 하면
□ + 0.26 = 0.94 ⇨ 0.94 − 0.26 = □, □ = 0.68입니다.
따라서 바르게 계산한 값은 0.68 × 0.26 = 0.1768입니다.

평가 4. 소수의 곱셈

18일 차

122쪽

1 2.7
2 21.06
3 2.88
4 14
5 0.098
6 11.96

7 3.6
8 5.568
9 0.144
10 9.828
11 20.8, 208, 2080
12 56, 5.6, 0.56
13 1.75, 0.175, 0.0175

123쪽

14 1000
15 0.01
16 4.3
17 2.17 × 8 = 17.36 / 17.36 L

18 7.1 × 1.8 × 2.5 = 31.95 / 31.95 m
19 8, 1, 5, 3(또는 5, 3, 8, 1) / 42.93
20 0.224

14 630은 0.63의 소수점이 오른쪽으로 세 자리 옮겨진 것이므로 1000을 곱한 것입니다.

15 7.4는 740의 소수점이 왼쪽으로 두 자리 옮겨진 것이므로 0.01을 곱한 것입니다.

16 • 0.35는 35의 소수점이 왼쪽으로 두 자리 옮겨진 것입니다.
 • 1.505는 1505의 소수점이 왼쪽으로 세 자리 옮겨진 것입니다.
 ⇨ □는 43에서 소수점을 왼쪽으로 한 자리 옮긴 4.3입니다.

17 (8일 동안 사용한 식용유의 양)
= (하루에 사용한 식용유의 양) × (날수)
= 2.17 × 8 = 17.36(L)

18 (파란색 테이프의 길이)
= (노란색 테이프의 길이) × 2.5
= (빨간색 테이프의 길이) × 1.8 × 2.5
= 7.1 × 1.8 × 2.5 = 31.95(m)

19 1 < 3 < 5 < 8이므로 곱을 가장 크게 만들려면 자연수 부분에 가장 큰 수와 두 번째로 큰 수인 8과 5를 넣어야 합니다.
8.3 × 5.1 = 42.33 또는 8.1 × 5.3 = 42.93
⇨ 곱이 가장 큰 곱셈식: 8.1 × 5.3 = 42.93

20 어떤 수를 □라 하면
□ − 0.4 = 0.16 ⇨ 0.16 + 0.4 = □, □ = 0.56입니다.
따라서 바르게 계산한 값은 0.56 × 0.4 = 0.224입니다.

5. 직육면체

① 직육면체

② 정육면체

1일차

126쪽

❶ ( )(○)( )
❷ (○)( )( )
❸ ( )( )(○)

❹ 모서리, 면, 꼭짓점 /
6개, 12개, 8개
❺ 꼭짓점, 모서리, 면 /
6개, 12개, 8개

127쪽

❻ (○)( )( )
❼ ( )( )(○)
❽ ( )(○)( )

❾ 꼭짓점, 면, 모서리 /
6개, 12개, 8개
❿ 면, 모서리, 꼭짓점 /
6개, 12개, 8개

③ 직육면체의 성질

2일차

128쪽

❶ 면 ㅁㅂㅅㅇ
❷ 면 ㄱㅁㅇㄹ

❸ 면 ㄱㅁㅂㄴ
❹ 면 ㄱㄴㄷㄹ

129쪽

❺ 면 ㄴㅂㅁㄱ, 면 ㄴㅂㅅㄷ,
면 ㄷㅅㅇㄹ, 면 ㄱㅁㅇㄹ
❻ 면 ㄱㄴㄷㄹ, 면 ㄱㅁㅂㄴ,
면 ㅁㅂㅅㅇ, 면 ㄹㅇㅅㄷ
❼ 면 ㄱㄴㄷㄹ, 면 ㄴㅂㅅㄷ,
면 ㅁㅂㅅㅇ, 면 ㄱㅁㅇㄹ

❽ 면 ㄱㄴㄷㄹ, 면 ㄱㅁㅂㄴ,
면 ㅁㅂㅅㅇ, 면 ㄹㅇㅅㄷ
❾ 면 ㄱㄴㄷㄹ, 면 ㄴㅂㅅㄷ,
면 ㅁㅂㅅㅇ, 면 ㄱㅁㅇㄹ
❿ 면 ㄱㅁㅂㄴ, 면 ㄴㅂㅅㄷ,
면 ㄹㅇㅅㄷ, 면 ㄱㅁㅇㄹ

④ 직육면체의 겨냥도

3일차

130쪽

❶ ( )(○)( )( )
❷ ( )( )(○)( )
❸ (○)( )( )( )

131쪽

❹

❺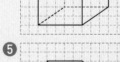

❻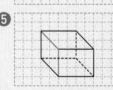

❼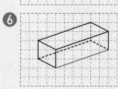

❽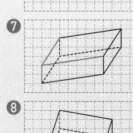

❾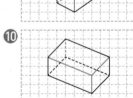

❿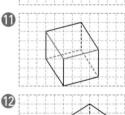

⓫

⓬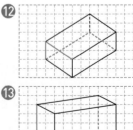

⓭

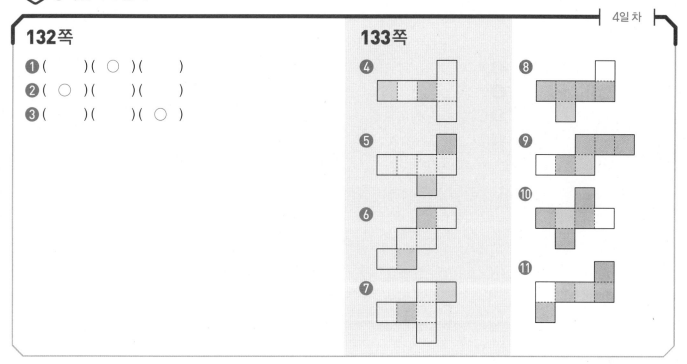

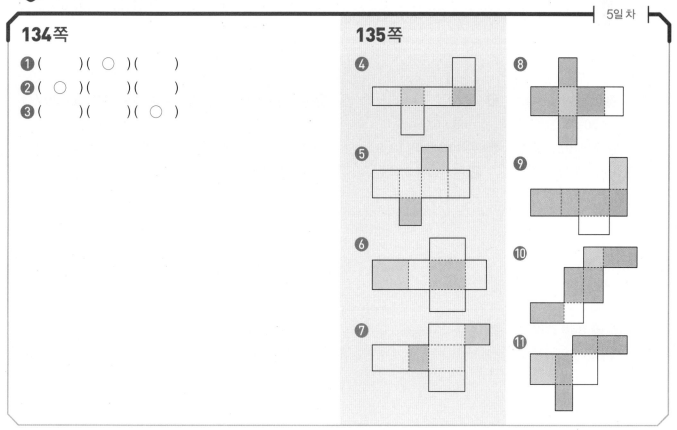

7 직육면체와 정육면체의 비교

6일차

136쪽

❶ ◯   ❺ ✕
❷ ✕   ❻ ✕
❸ ◯   ❼ ◯
❹ ✕   ❽ ◯

137쪽

❾ ◯   ⓯ ◯
❿ ✕   ⓰ ◯
⓫ ✕   ⓱ ✕
⓬ ◯   ⓲ ✕
⓭ ✕   ⓳ ◯
⓮ ✕   ⓴ ◯

8 정육면체의 모든 모서리의 길이의 합 구하기

9 정육면체에서 보이는, 보이지 않는 모서리의 길이의 합 구하기

7일차

138쪽

❶ 4 / 예 $4 \times 12 = 48$ / 48 cm

❸ 6 / 예 $6 \times 12 = 72$ / 72 cm

❷ 8 / 예 $8 \times 12 = 96$ / 96 cm

❹ 11 / 예 $11 \times 12 = 132$ / 132 cm

139쪽

❺ 예 $7 \times 9 = 63$ / 63 cm

❼ 예 $9 \times 3 = 27$ / 27 cm

❻ 예 $12 \times 9 = 108$ / 108 cm

❽ 예 $14 \times 3 = 42$ / 42 cm

10 직육면체의 모든 모서리의 길이의 합 구하기

11 직육면체에서 보이는, 보이지 않는 모서리의 길이의 합 구하기

8일차

140쪽

❶ 8 / 예 $(8+3+4) \times 4 = 60$ / 60 cm

❸ 7 / 예 $(7+4+6) \times 4 = 68$ / 68 cm

❷ (왼쪽에서부터) 7, 10 / 예 $(10+6+7) \times 4 = 92$ / 92 cm

❹ (왼쪽에서부터) 12, 9 / 예 $(9+12+5) \times 4 = 104$ / 104 cm

141쪽

❺ 예 $(8+2+6) \times 3 = 48$ / 48 cm

❼ 예 $6+11+3 = 20$ / 20 cm

❻ 예 $(9+10+7) \times 3 = 78$ / 78 cm

❽ 예 $5+4+14 = 23$ / 23 cm

12 전개도에서 만나는 점 찾기

13 전개도에서 모서리의 길이 구하기

9일차

142쪽   ❗ 정답을 왼쪽에서부터 확인합니다.

❶ ㄴ, ㅇ, ㄱ
❷ ㄷ, ㄱ, ㅅ
❸ ㄱ, ㅅ, ㄹ

143쪽   ❗ 정답을 왼쪽에서부터 확인합니다.

❹ 3, 9, 5
❺ 8, 6, 4
❻ 10, 7, 2

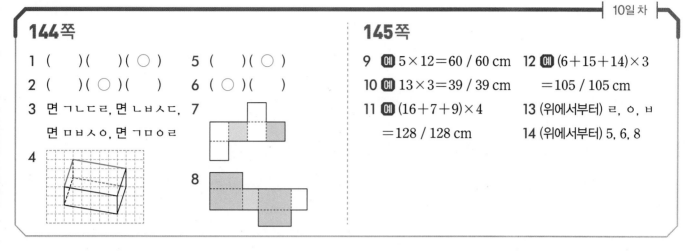

144쪽

1 ( )( )(○) 5 ( )(○)

2 ( )(○)( ) 6 (○)( )

3 면 ㄱㄴㄷㄹ, 면 ㄴㅂㅅㄷ, 면 ㅁㅂㅅㅇ, 면 ㄱㅁㅇㄹ

4

7

8

145쪽

9 예 5×12=60 / 60 cm

10 예 13×3=39 / 39 cm

11 예 (16+7+9)×4 =128 / 128 cm

12 예 (6+15+14)×3 =105 / 105 cm

13 (위에서부터) ㄹ, ㅇ, ㅂ

14 (위에서부터) 5, 6, 8

6. 평균과 가능성

① 평균

148쪽

❶ 10개
❷ 21 ℃
❸ 38권
❹ 42 kg
❺ 146 cm
❻ 225 kg

149쪽

❼ 17초
❽ 25명
❾ 59분
❿ 77점
⓫ 81분
⓬ 140 cm
⓭ 168명
⓮ 275 mL

② 일이 일어날 가능성을 말로 표현하고 비교하기

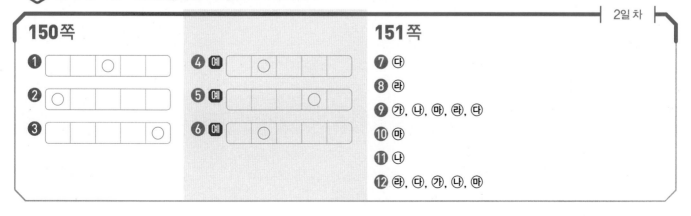

150쪽

❶
❷
❸
❹ 예
❺ 예
❻ 예

151쪽

❼ 다
❽ 라
❾ 가, 나, 마, 라, 다
❿ 마
⓫ 나
⓬ 라, 다, 가, 나, 마

③ 일이 일어날 가능성을 수로 표현하기

3일차

152쪽

❶ 반반이다 / $\frac{1}{2}$

❷ 불가능하다 / 0

❸ 확실하다 / 1

153쪽

❹ 1

❺ 0

❻ $\frac{1}{2}$

❼ 0

❽ $\frac{1}{2}$

❾ 1

---

④ 평균과 자료의 값 비교하기　　　　⑤ 두 집단의 평균 비교하기

4일차

154쪽

❶ 낮은　　　❹ 적은

❷ 많은　　　❺ 낮은

❸ 높은　　　❻ 높은

155쪽

❼ 진아네 모둠　　　❾ 영희네 모둠

❽ 슬기네 모둠　　　❿ 상희네 모둠

❶ (은주네 모둠의 줄넘기 기록의 평균)
　＝(10＋13＋12＋9)÷4＝11(개)
　⇨ 10개＜11개이므로 은주의 줄넘기 기록은 낮은 편입니다.
　　　은주　　평균

❷ (수지네 모둠이 읽은 동화책 수의 평균)
　＝(14＋15＋19＋8)÷4＝14(권)
　⇨ 15권＞14권이므로 수지가 읽은 동화책 수는 많은 편입니다.
　　　수지　　평균

❸ (요일별 최고 기온의 평균)
　＝(18＋16＋20＋22)÷4＝19(℃)
　⇨ 20℃＞19℃이므로 수요일의 최고 기온은 높은 편입니다.
　　　수요일　　평균

❹ (반별 학생 수의 평균)
　＝(24＋32＋28＋31＋35)÷5＝30(명)
　⇨ 28명＜30명이므로 3반의 학생 수는 적은 편입니다.
　　　3반　　평균

❺ (과목별 점수의 평균)
　＝(82＋83＋95＋87＋93)÷5＝88(점)
　⇨ 83점＜88점이므로 영어 점수는 낮은 편입니다.
　　　영어　　평균

❻ (민희네 모둠의 멀리뛰기 기록의 평균)
　＝(283＋271＋320＋312＋304)÷5＝298(cm)
　⇨ 304cm＞298cm이므로 준호의 멀리뛰기 기록은 높은 편입니다.
　　　준호　　평균

❼ ・(애라네 모둠의 야구 점수의 평균)＝(9＋5＋7)÷3＝7(점)
　・(진아네 모둠의 야구 점수의 평균)＝(7＋6＋8＋11)÷4＝8(점)
　⇨ 야구 점수의 평균이 7점＜8점이므로 진아네 모둠이 더 잘했다고
　　볼 수 있습니다.　애라네　진아네

❽ ・(슬기네 모둠의 농구 점수의 평균)＝(18＋26＋13)÷3＝19(점)
　・(서우네 모둠의 농구 점수의 평균)
　　＝(16＋17＋14＋21)÷4＝17(점)
　⇨ 농구 점수의 평균이 19점＞17점이므로 슬기네 모둠이 더 잘했다고
　　볼 수 있습니다.　슬기네　서우네

❾ ・(영희네 모둠의 양궁 점수의 평균)
　　＝(24＋28＋29＋23)÷4＝26(점)
　・(지수네 모둠의 양궁 점수의 평균)
　　＝(27＋23＋25＋24＋21)÷5＝24(점)
　⇨ 양궁 점수의 평균이 26점＞24점이므로 영희네 모둠이 더 잘했다고
　　볼 수 있습니다.　영희네　지수네

❿ ・(민주네 모둠의 사격 점수의 평균)
　　＝(38＋44＋47＋43)÷4＝43(점)
　・(상희네 모둠의 사격 점수의 평균)
　　＝(45＋49＋46＋39＋41)÷5＝44(점)
　⇨ 사격 점수의 평균이 43점＜44점이므로 상희네 모둠이 더 잘했다고
　　볼 수 있습니다.　민주네　상희네

6 평균과 자료의 수를 알 때, 자료의 값의 합 구하기

156쪽

❶ 119개
❷ 205명
❸ 312분
❹ 468 kg
❺ 516개
❻ 64000원

❶ (7일 동안 먹은 아몬드 수)
　＝(평균)×(먹은 날수)＝17×7＝119(개)
❷ (버스 5대에 탄 전체 학생 수)
　＝(평균)×(버스 수)＝41×5＝205(명)
❸ (8일 동안 운동한 시간)
　＝(평균)×(운동한 날수)＝39×8＝312(분)
❹ (9명의 몸무게의 합)
　＝(평균)×(회원 수)＝52×9＝468(kg)
❺ (6명의 줄넘기 기록의 합)
　＝(평균)×(학생 수)＝86×6＝516(개)
❻ (4개월 동안 저금한 금액)
　＝(평균)×(저금한 개월 수)＝16000×4＝64000(원)

7 평균과 자료의 수를 알 때, 모르는 자료의 값 구하기

157쪽

❼ 15
❽ 26
❾ 57
❿ 83
⓫ 141
⓬ 235

❼ (전체 전학생 수)＝16×4＝64(명)
　⇨ (4학년 전학생 수)＝64－17－14－18＝15(명)
❽ (공 던지기 기록의 합)＝32×4＝128(m)
　⇨ (3회의 공 던지기 기록)＝128－26－41－35＝26(m)
❾ (학생들이 가지고 있는 구슬의 합)＝55×4＝220(개)
　⇨ (수호가 가지고 있는 구슬 수)＝220－62－51－50＝57(개)
❿ (과목별 점수의 합)＝89×4＝356(점)
　⇨ (사회 점수)＝356－84－97－92＝83(점)
⓫ (혜리네 모둠 학생들의 키의 합)＝143×4＝572(cm)
　⇨ (혜리의 키)＝572－148－139－144＝141(cm)
⓬ (과수원별 배 수확량의 합)＝230×4＝920(kg)
　⇨ (나 과수원의 배 수확량)＝920－180－240－265＝235(kg)

8 일이 일어날 가능성을 회전판에 나타내기

158쪽

❶

또는

❷

❸

또는

❹

159쪽

❺ ㉠
❻ ㉢
❼ ㉡
❽ ㉡
❾ ㉢
❿ ㉠

❶ 화살이 빨간색에 멈출 가능성이 가장 높으므로 회전판에서 가장 넓은 곳에 빨간색을 칠합니다.
화살이 노란색에 멈출 가능성과 초록색에 멈출 가능성이 같으므로 크기가 같은 나머지 두 곳에 각각 노란색과 초록색을 칠합니다.

❷ 화살이 초록색에 멈출 가능성이 가장 높으므로 회전판에서 가장 넓은 곳에 초록색을 칠합니다.
화살이 노란색에 멈출 가능성이 파란색에 멈출 가능성의 2배이므로 초록색을 칠한 곳 다음으로 넓은 곳에 노란색, 가장 좁은 곳에 파란색을 칠합니다.

❸ 화살이 파란색에 멈출 가능성이 가장 낮으므로 회전판에서 가장 좁은 곳에 파란색을 칠합니다.
화살이 노란색에 멈출 가능성과 빨간색에 멈출 가능성이 같으므로 크기가 같은 나머지 두 곳에 각각 노란색과 빨간색을 칠합니다.

❹ 화살이 노란색에 멈출 가능성이 가장 높으므로 회전판에서 가장 넓은 곳에 노란색을 칠합니다.
화살이 초록색에 멈출 가능성이 빨간색에 멈출 가능성의 3배이므로 노란색을 칠한 곳 다음으로 넓은 곳에 초록색, 가장 좁은 곳에 빨간색을 칠합니다.

❺ 표를 보면 화살이 빨간색, 노란색, 파란색에 멈춘 횟수가 비슷합니다.
㉠ 회전판에서 빨간색, 노란색, 파란색의 부분이 각각 전체의 $\frac{1}{3}$이므로 표와 일이 일어날 가능성이 가장 비슷합니다.

❻ 표를 보면 화살이 노란색에 멈춘 횟수가 가장 많고, 빨간색에 멈춘 횟수가 두 번째로 많고, 파란색에 멈춘 횟수가 가장 적습니다.
㉢ 회전판에서 노란색은 전체의 $\frac{1}{2}$이고, 빨간색은 전체의 $\frac{1}{3}$이고, 파란색은 전체의 $\frac{1}{6}$이므로 표와 일이 일어날 가능성이 가장 비슷합니다.

❼ 표를 보면 화살이 노란색에 멈춘 횟수가 가장 많고, 빨간색과 파란색에 멈춘 횟수가 비슷합니다.
㉡ 회전판에서 노란색은 전체의 $\frac{3}{4}$이고, 빨간색과 파란색은 각각 전체의 $\frac{1}{8}$이므로 표와 일이 일어날 가능성이 가장 비슷합니다.

❽ 표를 보면 화살이 초록색에 멈춘 횟수가 가장 많고, 주황색과 보라색에 멈춘 횟수가 비슷합니다.
㉡ 회전판에서 초록색은 전체의 $\frac{1}{2}$이고, 주황색과 보라색은 각각 전체의 $\frac{1}{4}$이므로 표와 일이 일어날 가능성이 가장 비슷합니다.

❾ 표를 보면 화살이 주황색, 초록색, 보라색에 멈춘 횟수가 비슷합니다.
㉢ 회전판에서 주황색, 초록색, 보라색의 부분이 각각 전체의 $\frac{1}{3}$이므로 표와 일이 일어날 가능성이 가장 비슷합니다.

❿ 표를 보면 화살이 보라색에 멈춘 횟수가 가장 많고, 초록색에 멈춘 횟수가 두 번째로 많고, 주황색에 멈춘 횟수가 가장 적습니다.
㉠ 회전판에서 보라색은 전체의 $\frac{1}{2}$이고, 초록색은 전체의 $\frac{3}{8}$이고, 주황색은 전체의 $\frac{1}{8}$이므로 표와 일이 일어날 가능성이 가장 비슷합니다.

(평가) **6. 평균과 가능성**

160쪽

1 13살
2 54분
3 46회
4 247 kg

5 [○ | | |]
6 [| | | ○]
7 $\frac{1}{2}$
8 0

161쪽

9 적은
10 준호네 모둠
11 168개

12 18
13 360
14

---

9 (붙임딱지 수의 평균)
$=(35+32+37+40) \div 4 = 36(개)$
➡ 35개<36개이므로 미나의 붙임딱지 수는 적은 편입니다.
　미나　평균

10 ・(준호네 모둠의 단체 줄넘기 기록의 평균)
$=(15+13+11+17) \div 4 = 14(개)$
・(선우네 모둠의 단체 줄넘기 기록의 평균)
$=(14+16+10+12+13) \div 5 = 13(개)$
➡ 단체 줄넘기 기록의 평균이 14개>13개이므로 준호네 모둠이 더 잘했다고 볼 수 있습니다. 준호네 선우네

11 (7일 동안 푼 수학 문제 수)
$=(평균) \times (날수)$
$=24 \times 7 = 168(개)$

12 (안경을 쓴 전체 학생 수)
$=15 \times 4 = 60(명)$
➡ (3반에 안경을 쓴 학생 수)
$=60-10-12-20 = 18(명)$

13 (전체 방문자 수)$=320 \times 5 = 1600(명)$
➡ (2월 방문자 수)
$=1600-340-280-300-320 = 360(명)$

14 화살이 파란색에 멈출 가능성이 가장 높으므로 회전판에서 가장 넓은 곳에 파란색을 칠합니다. 화살이 초록색에 멈출 가능성이 노란색에 멈출 가능성의 2배이므로 파란색을 칠한 곳 다음으로 넓은 곳에 초록색, 가장 좁은 곳에 노란색을 칠합니다.

➕ **개념·플러스·연산**　개념과 연산이 만나 수학의 즐거운 학습 시너지를 일으킵니다.

대표전화 1544-0554
주소 서울특별시 구로구 디지털로33길 48 대륭포스트타워 7차 20층
협의 없는 무단 복제는 법으로 금지되어 있습니다.